Guerra del tiempo y otros relatos

Sección: Literatura

Alejo Carpentier:

Guerra del tiempo y otros relatos

El Libro de Bolsillo
Alianza Editorial
Madrid

PQ
7389
.C263
G8
1987

FRANKLIN PIERCE
COLLEGE LIBRARY
RINDGE, N. H. 03⁴

© Alejo Carpentier
© Alianza Editorial, S. A., 1987
 Calle Milán, 38; Teléf.: 200 00 45 - 28043 Madrid
 ISBN: 84-206-0293-0
 Déposito legal: M-41.717-1987
 Fotocomposición: EFCA, S. A.
 Avda. Doctor Federico Rubio y Galí, 16 - 28039 Madrid
 Impreso en Artes Gráficas Ibarra, S. A., Matilde Hernández, 31. 28019 Madrid
 Printed in Spain.

GUERRA DEL TIEMPO

¿Qué capitán es éste, qué
soldado de la guerra del
tiempo?

Lope de Vega

Viaje a la semilla

I

—¿Qué quieres, viejo?...

Varias veces cayó la pregunta de lo alto de los andamios. Pero el viejo no respondía. Andaba de un lugar a otro, fisgoneando, sacándose de la garganta un largo monólogo de frases incomprensibles. Ya habían descendido las tejas, cubriendo los canteros muertos con su mosaico de barro cocido. Arriba, los picos desprendían piedras de mampostería, haciéndolas rodar por canales de madera, con gran revuelo de cales y de yesos. Y por las almenas sucesivas que iban desdentando las murallas aparecían —despojados de su secreto— cielos rasos ovales o cuadrados, cornisas, guirnaldas, dentículos, astrágalos, y papeles encolados que colgaban de los testeros como viejas pieles de serpiente en muda. Presenciando la demolición, una Ceres con la nariz rota y el pelo desvaído, veteado de negro el tocado de mieses, se erguía en el traspatio, sobre su fuente de mascarones borrosos. Visitados por el

9

sol en horas de sombra, los peces grises del estanque bostezaban en agua musgosa y tibia, mirando con el ojo redondo aquellos obreros, negros sobre claro de cielo, que iban rebajando la altura secular de la casa. El viejo se había sentado, con el cayado apuntalándole la barba, al pie de la estatua. Miraba el subir y bajar de cubos en que viajaban restos apreciables. Oíanse, en sordina, los rumores de la calle mientras, arriba, las poleas concertaban, sobre ritmos de hierro con piedra, sus gorjeos de aves desagradables y pechugonas.

Dieron las cinco. Las cornisas y entablamentos se despoblaron. Sólo quedaron escaleras de mano, preparando el asalto del día siguiente. El aire se hizo más fresco, aligerado de sudores, blasfemias, chirridos de cuerdas, ejes que pedían alcuzas y palmadas en torsos pringosos. Para la casa mondada el crepúsculo llegaba más pronto. Se vestía de sombras en horas en que su ya caída balaustrada superior solía regalar a las fachadas algún relumbre de sol. La Ceres apretaba los labios. Por primera vez las habitaciones dormirían sin persianas, abiertas sobre un paisaje de escombros.

Contrariando sus apetencias, varios capiteles yacían entre las hierbas. Las hojas de acanto descubrían su condición vegetal. Una enredadera aventuró sus tentáculos hacia la voluta jónica, atraída por un aire de familia. Cuando cayó la noche, la casa estaba más cerca de la tierra. Un marco de puerta se erguía aún, en lo alto, con tablas de sombra suspendidas de sus bisagras desorientadas.

II

Entonces el negro viejo, que no se había movido, hizo gestos extraños, volteando su cayado, sobre un cementerio de baldosas.

Los cuadros de mármol, blancos y negros, volaron a los pisos, vistiendo la tierra. Las piedras, con saltos certeros, fueron a cerrar los boquetes de las murallas. Hojas de nogal claveteadas se encajaron en sus marcos, mientras los tornillos de las charnelas volvían a hundirse en sus hoyos, con rápida rotación. En los canteros muertos, levantadas por el esfuerzo de las flores, las tejas juntaron sus fragmentos, alzando un sonoro torbellino de barro, para caer en lluvia sobre la armadura del techo. La casa creció, traída nuevamente a sus proporciones habituales, pudorosa y vestida. La Ceres fue menos gris. Hubo más peces en la fuente. Y el murmullo del agua llamó begonias olvidadas.

El viejo introdujo una llave en la cerradura de la puerta principal, y comenzó a abrir ventanas. Sus tacones sonaban a hueco. Cuando encendió los velones, un estremecimiento amarillo corrió por el óleo de los retratos de familia, y gentes vestidas de negro murmuraron en todas las galerías, al compás de cucharas movidas en jícaras de chocolate.

Don Marcial, Marqués de Capellanías, yacía en su lecho de muerte, el pecho acorazado de medallas; escoltado por cuatro cirios con largas barbas de cera derretida.

III

Los cirios crecieron lentamente, perdiendo sudores. Cuando recobraron su tamaño, los apagó la monja apartando una lumbre. Las mechas blanquearon, arrojando el pabilo. La casa se vació de visitantes y los carruajes partieron en la noche. Don Marcial pulsó un teclado invisible y abrió los ojos.

Confusas y revueltas, las vigas del techo se iban colocando en su lugar. Los pomos de medicina, las borlas de damasco, el escapulario de la cabecera, los daguerrotipos, las palmas de la reja, salieron de sus nieblas. Cuando el médico movió la cabeza con desconsuelo profesional, el enfermo se sintió mejor. Durmió algunas horas y despertó bajo la mirada negra y cejuda del Padre Anastasio. De franca, detallada, poblada de pecados, la confesión se hizo reticente, penosa, llena de escondrijos. ¿Y qué derecho tenía, en el fondo, aquel carmelita a entrometerse en su vida? Don Marcial se encontró, de pronto, tirado en medio del aposento. Aligerado de un peso en las sienes, se levantó con sorprendente celeridad. La mujer desnuda que se desperezaba sobre el brocado del lecho buscó enaguas y corpiños, llevándose, poco después, sus rumores de seda estrujada y su perfume. Abajo, en el coche cerrado, cubriendo tachuelas del asiento, había un sobre con monedas de oro.

Don Marcial no se sentía bien. Al arreglarse la corbata frente a la luna de la consola se vio congestionado. Bajó al despacho donde lo esperaban hombres de justicia, abogados y escribientes, para disponer la venta pública de la casa. Todo había sido inútil. Sus pertenencias se irían a manos del mejor postor, al compás de martillo golpeando una tabla. Saludó y le dejaron solo. Pensaba en los misterios de la letra escrita, en esas hebras negras que se enlazan y desenlazan sobre anchas hojas afiligranadas de balanzas, enlazando y desenlazando compromisos, juramentos, alianzas, testimonios, declaraciones, apellidos, títulos, fechas, tierras, árboles y piedras; maraña de hilos, sacada del tintero, en que se enredaban las piernas del hombre, vedándole caminos destinados por la Ley; cordón al cuello, que apretaban su sordina al percibir el sonido temible de las palabras en libertad. Su firma lo había traicionado, yendo a complicarse en nudo y enredos de legajos. Atado por ella, el hombre de carne se hacía hombre de papel.

Era el amanecer. El reloj del comedor acababa de dar las seis de la tarde.

IV

Transcurrieron meses de luto, ensombrecidos por un remordimiento cada vez mayor. Al principio, la idea de traer una mujer a aquel aposento se le hacía casi razonable. Pero, poco a poco, las apetencias de un cuerpo nuevo fueron desplazadas por escrúpulos crecientes, que llegaron al flagelo. Cierta noche, Don Marcial se ensangrentó las carnes con una correa, sintiendo luego un deseo mayor, pero de corta duración. Fue entonces cuando la Marquesa volvió, una tarde, de su paseo a las orillas del Almendares. Los caballos de la calesa no traían en las crines más humedad que la del propio sudor. Pero, durante todo el resto del día, dispararon coces a las tablas de la cuadra, irritados, al parecer, por la inmovilidad de nubes bajas.

Al crepúsculo, una tinaja llena de agua se rompió en el baño de la Marquesa. Luego, las lluvias de mayo rebosaron el estanque. Y aquella negra vieja, con tacha de cimarrona y palomas debajo de la cama, que andaba por el patio murmurando: «¡Desconfía de los ríos, niña; desconfía de lo verde que corre!» No había día en que el agua no revelara su presencia. Pero esa presencia acabó por no ser más que una jícara derramada sobre el vestido traído de París, al regreso del baile aniversario dado por el Capitán General de la Colonia.

Reaparecieron muchos parientes. Volvieron muchos amigos. Ya brillaban, muy claras, las arañas del gran salón. Las grietas de la fachada se iban cerrando. El piano regresó al clavicordio. Las palmas perdían anillos. Las enredaderas saltaban la primera cornisa. Blanquearon las oje-

ras de las Ceres y los capiteles parecieron recién tallados.
Más fogoso, Marcial solía pasarse tardes enteras abrazan-
do a la Marquesa. Borrábanse patas de gallina, ceños y pa-
padas, y las carnes tornaban a su dureza. Un día, un olor
de pintura fresca llenó la casa.

V

Los rubores eran sinceros. Cada noche se abrían un
poco más las hojas de los biombos, las faldas caían en rincones menos alumbrados y eran nuevas barreras de encajes. Al fin la Marquesa sopló las lámparas. Sólo él habló en la obscuridad.

Partieron para el ingenio, en gran tren de calesas —re-
lumbrante de grupas alazanas, bocados de plata y charoles al sol—. Pero, a la sombra de las flores de Pascua que
enrojecían el soportal interior de la vivienda, advirtieron
que se conocían apenas. Marcial autorizó danzas y tambores de Nación, para distraerse un poco en aquellos días
olientes a perfumes de Colonia, baños de benjuí, cabelleras esparcidas, y sábanas sacadas de armarios que, al
abrirse, dejaban caer sobre las lozas un mazo de vetiver.
El vaho del guarapo giraba en la brisa con el toque de
oración. Volando bajo, las auras anunciaban lluvias re-
ticentes, cuyas primeras gotas, anchas y sonoras, eran
sorbidas por tejas tan secas que tenían diapasón de cobre.
Después de un amanecer alargado por un abrazo deslu-
cido, aliviados de desconciertos y cerrada la herida, ambos
regresaron a la ciudad. La Marquesa trocó su vestido de
viaje por un traje de novia, y, como era costumbre, los
esposos fueron a la iglesia para recobrar su libertad. Se
devolvieron presentes a parientes y amigos, y, con revuelo
de bronces y alardes de jaeces, cada cual tomó la calle de
su morada. Marcial siguió visitando a María de las Mer-
cedes por algún tiempo, hasta el día en que los anillos fue-

ron llevados al taller del orfebre para ser desgrabados. Comenzaba, para Marcial, una vida nueva. En la casa de altas rejas, la Ceres fue sustituida por una Venus italiana, y los mascarones de la fuente adelantaron casi imperceptiblemente el relieve al ver todavía encendidas, pintada ya el alba, las luces de los vellones.

VI

Una noche, después de mucho beber y marearse con tufos de tabaco frío, dejados por sus amigos, Marcial tuvo la sensación extraña de que los relojes de la casa daban las cinco, luego las cuatro y media, luego las cuatro, luego las tres y media... Era como la percepción remota de otras posibilidades. Como cuando se piensa, en enervamiento de vigilia, que puede andarse sobre el cielo raso con el piso por cielo raso, entre muebles firmemente asentados entre las vigas del techo. Fue una impresión fugaz, que no dejó la menor huella en su espíritu, poco llevado, ahora, a la meditación.

Y hubo un gran sarao, en el salón de música, el día en que alcanzó la minoría de edad. Estaba alegre, al pensar que su firma había dejado de tener un valor legal y que los registros y escribanías con sus polillas, se borraban de su mundo. Llegaba al punto en que los tribunales dejan de ser temibles para quienes tienen una carne desestimada por los códigos. Luego de achisparse con vinos generosos, los jóvenes descolgaron de la pared una guitarra incrustada de nácar, un salterio y un serpentón. Alguien dio cuerda al reloj que tocaba la Tirolesa de las Vacas y la Balada de los Lagos de Escocia. Otro embocó un cuerno de caza que dormía, enroscado en su cobre, sobre los fieltros encarnados de la vitrina, al lado de la flauta travesera traída de Aranjuez. Marcial, que estaba reque-

brando atrevidamente a la de Campoflorido, se sumó al
guirigay, buscando en el teclado, sobre bajos falsos, la
melodía del Trípili-Trápala. Y subieron todos al desván,
de pronto, recordando que allá, bajo vigas que iban recobrando el repello, se guardaban los trajes y libreas de
la Casa de Capellanías. En entrepaños escarchados de al-
canfor descansaban los vestidos de corte, un espadín de
Embajador, varias guerreras emplastronadas, el manto
de un Príncipe de la Iglesia, y largas casacas, con botones de
damasco y difuminos de humedad en los pliegues. Mati-
záronse las penumbras con cintas de amaranto, miriña-
ques amarillos, túnicas marchitas y flores de terciopelo.
Un traje de chispero con redecilla de borlas, nacido en
una mascarada de carnaval, levantó aplausos. La de Campoflorido redondeó los hombros empolvados bajo un rebozo de color de carne criolla, que sirviera a cierta abue-
la, en noche de grandes decisiones familiares, para avivar
los amasados fuegos de un rico Síndico de Clarisas.

Disfrazados regresaron los jóvenes al salón de música.
Tocado con un tricornio de regidor, Marcial pegó tres
bastonazos en el piso, y se dio comienzo a la danza de la
valse, que las madres hallaban terriblemente impropio de
señoritas, con eso de dejarse enlazar por la cintura, recibiendo manos de hombres sobre las ballenas del corset
que todas se habían hecho según el reciente patrón de «El
Jardín de las Modas». Las puertas se obscurecieron de fá-
mulas, cuadrerizos, sirvientes, que venían de sus lejanas
dependencias y de los entresuelos sofocantes, para admi-
rarse ante fiesta de tanto alboroto. Luego, se jugó a la gallina ciega y al escondite. Marcial, oculto con la de Campoflorido detrás de un biombo chino, le estampó un beso
en la nuca, recibiendo en respuesta un pañuelo perfuma-
do, cuyos encajes de Bruselas guardaban suaves tibiezas
de escote. Y cuando las muchachas se alejaron en las luces del crepúsculo, hacia las atalayas y torreones que se

pintaban en grisnegro sobre el mar, los mozos fueron a la Casa de Baile, donde tan sabrosamente se contoneaban las mulatas de grandes ajorcas, sin perder nunca —así fuera de movida una guaracha— sus zapatillas de alto tacón. Y como se estaba en carnavales, los del Cabildo Arará Tres Ojos levantaban un trueno de tambores tras de la pared medianera, en un patio sembrado de granados. Subidos en mesas y taburetes, Marcial y sus amigos alabaron el garbo de una negra de pasas entrecanas, que volvía a ser hermosa, casi deseable, cuando miraba por sobre el hombro, bailando con altivo mohín de reto.

VII

Las visitas de Don Abundio, notario y albacea de la familia, eran más frecuentes. Se sentaba gravemente a la cabecera de la cama de Marcial, dejando caer al suelo su bastón de ácana para despertarlo antes de tiempo. Al abrirse, los ojos tropezaban con una levita de alpaca, cubierta de caspa, cuyas mangas lustrosas recogían títulos y rentas. Al fin sólo quedó una pensión razonable, calculada para poner coto a toda locura. Fue entonces cuando Marcial quiso ingresar en el Real Seminario de San Carlos.

Después de mediocres exámenes, frecuentó los claustros, comprendiendo cada vez menos las explicaciones de los dómines. El mundo de las ideas se iba despoblando. Lo que había sido, al principio, una ecuménica asamblea de peplos, jubones, golas y pelucas, controversias y ergotantes, cobraba la inmovilidad de un museo de figuras de cera. Marcial se contentaba ahora con una exposición escolástica de los sistemas, aceptando por bueno lo que se dijera en cualquier texto. «León», «Avestruz», «Ballena», «Jaguar», léiase sobre los grabados en cobre de la Historia Natural. Del mismo modo, «Aristóteles», «San-

to Tomás», «Bacon», «Descartes», encabezaban páginas
negras, en que se catalogaban aburridamente las interpre-
taciones del universo, al margen de una capital espesa.
Poco a poco, Marcial dejó de estudiar, encontrándose li-
brado de un gran peso. Su mente se hizo alegre y ligera,
admitiendo tan sólo un concepto instintivo de las cosas.
¿Para qué pensar en el prisma, cuando la luz clara de invierno daba mayores detalles a las fortalezas del puerto?
Una manzana que cae del árbol sólo es incitación para
los dientes. Un pie en un bañadera no pasa de ser un pie
en una bañadera. El día que abandonó el Seminario, olvidó los libros. El gnomon recobró su categoría de duen-
de: el espectro fue sinónimo de fantasma; el octandro era
bicho acorazado, con púas en el lomo.

Varias veces, andando de pronto, inquieto el corazón,
había ido a visitar a las mujeres que cuchicheaban, detrás
de puertas azules, al pie de las murallas. El recuerdo de
la que llevaba zapatillas bordadas y hojas de albahaca en
la oreja lo perseguía, en tardes de calor, como un dolor
de muelas. Pero, un día, la cólera y las amenazas de un
confesor le hicieron llorar de espanto. Cayó por última
vez en las sábanas del infierno, renunciando para siempre a sus rodeos por calles poco concurridas, a sus co-
bardías de última hora que le hacían regresar con rabia a
su casa, luego de dejar a sus espaldas cierta acera rajada,
señal, cuando andaba con la vista baja, de la media vuelta
que debía darse por hollar el umbral de los perfumes.

Ahora vivía su crisis mística, poblada de detentes, cor-
deros pascuales, palomas de porcelana, Vírgenes de manto azul celeste, estrellas de papel dorado, Reyes Magos,
ángeles con alas de cisne, el Asno, el Buey, y un terrible
San Dionisio que se le aparecía en sueños, con un gran
vacío entre los hombros y el andar vacilante de quien busca un objeto perdido. Tropezaba con la cama y Marcial
despertaba sobresaltado, echando mano al rosario de

cuentas sordas. Las mechas, en sus pocillos de aceite, daban luz triste a imágenes que recobraban su color primero.

VIII

Los muebles crecían. Se hacía más difícil sostener los antebrazos sobre el borde de la mesa del comedor. Los armarios de cornisas labradas ensanchaban el frontis. Alargando el torso, los moros de la escalera acercaban sus antorchas a los balaustres del rellano. Las butacas eran más hondas y los sillones de mecedora tenían tendencia a irse para atrás. No había ya que doblar las piernas al recostarse en el fondo de la bañadera con anillas de mármol.

Una mañana en que leía un libro licencioso, Marcial tuvo ganas, súbitamente, de jugar con los soldados de plomo que dormían en sus cajas de madera. Volvió a ocultar el tomo bajo la jofaina del lavabo, y abrió una gaveta sellada por las telarañas. La mesa de estudio era demasiado exigua para dar cabida a tanta gente. Por ello, Marcial se sentó en el piso. Dispuso los granaderos por filas de ocho. Luego, los oficiales a caballo, rodeando al abanderado. Detrás, los artilleros, con sus cañones, escobillones y botafuegos. Cerrando la marcha, pífanos y timbales, con escolta de redoblantes. Los morteros estaban dotados de un resorte que permitía lanzar bolas de vidrio a más de un metro de distancia.

—¡Pum!... ¡Pum!... ¡Pum!...

Caían caballos, caían abanderados, caían tambores. Hubo de ser llamado tres veces por el negro Eligio, para decidirse a lavarse las manos y bajar al comedor.

De ese día, Marcial conservó el hábito de sentarse en el enlosado. Cuando percibió las ventajas de esa costum-

bre, se sorprendió por no haberlo pensado antes. Afectas
al terciopelo de los cojines, las personas mayores sudan
demasiado. Algunas huelen a notario —como Don Abundio— por no conocer, con el cuerpo echado, la frialdad
del mármol en todo tiempo. Sólo desde el suelo pueden
abarcarse totalmente los ángulos y perspectivas de una
habitación. Hay bellezas de la madera, misteriosos caminos de insectos, rincones de sombra, que se ignoran a altura de hombre. Cuando llovía, Marcial se ocultaba debajo del clavicordio. Cada trueno hacía temblar la caja de
resonancia, poniendo todas las notas a cantar. Del cielo
caían los rayos para construir aquella bóveda de caldero-
nes —órgano, pinar al viento, mandolina de grillos.

IX

Aquella mañana lo encerraron en su cuarto. Oyó mur-
mullos en toda la casa y el almuerzo que le sirvieron fue
demasiado suculento para un día de semana. Había seis
pasteles de la confitería de la Alameda —cuando sólo dos
podían comerse, los domingos, después de misa. Se en-
tretuvo mirando estampas de viaje, hasta que el abejeo
creciente, entrando por debajo de las puertas, le hizo mirar entre persianas. Llegaban hombres vestidos de negro,
portando una caja con agarraderas de bronce. Tuvo ganas de llorar, pero en ese momento apareció el calesero
Melchor, luciendo sonrisa de dientes en lo alto de sus botas sonoras. Comenzaron a jugar al ajedrez. Melchor era
caballo. El era Rey. Tomando las losas del piso por tablero, podía avanzar de una en una, mientras Melchor debía saltar una de frente y dos de lado, o viceversa. El juego se prolongó hasta más allá del crepúsculo, cuando pasaron los Bomberos del Comercio.
   Al levantarse, fue a besar la mano de su padre que ya-

cía en su cama de enfermo. El Marqués se sentía mejor, y habló a su hijo con el empaque y los ejemplos usuales. Los «Sí, padre» y los «No, padre», se encajaban entre cuenta y cuenta del rosario de preguntas, como las respuestas del ayudante en una misa. Marcial respetaba al Marqués, pero era por razones que nadie hubiera acertado a suponer. Lo respetaba porque era de elevada estatura y salía, en noches de baile, con el pecho rutilante de condecoraciones: porque le envidiaba el sable y los entorchados de oficial de milicias; porque, en Pascuas, había comido un pavo entero, relleno del almendras y pasas, ganando una apuesta; porque, cierta vez, sin duda con el ánimo de azotarla, agarró a una de las mulatas que barrían la rotonda, llevándola en brazos a su habitación. Marcial, oculto detrás de una cortina, la vio salir poco después, llorosa y desabrochada, alegrándose del castigo, pues era la que siempre vaciaba las fuentes de compota devueltas a la alacena.

El padre era un ser terrible y magnánimo al que debía amarse después de Dios. Para Marcial era más Dios que Dios, porque sus dones eran cotidianos y tangibles. Pero prefería el Dios del cielo, porque fastidiaba menos.

X

Cuando los muebles crecieron un poco más y Marcial supo como nadie lo que había debajo de las camas, armarios y vargueños, ocultó a todos un gran secreto: la vida no tenía encanto fuera de la presencia del calesero Melchor. Ni Dios, ni su padre, ni el obispo dorado de las procesiones del Corpus, eran tan importantes como Melchor.

Melchor venía de muy lejos. Era nieto de príncipes vencidos. En su reino había elefantes, hipopótamos, ti-

gres y jirafas. Ahí los hombres no trabajaban, como Don
Abundio, en habitaciones obscuras, llenas de legajos. Vivían de ser más astutos que los animales. Uno de ellos
sacó el gran cocodrilo del lago azul, ensartándolo con una
pica oculta en los cuerpos apretados de doce ocas asadas.
Melchor sabía canciones fáciles de aprender, porque las
palabras no tenían significado y se repetían mucho. Robaba dulce en las cocinas; se escapaba, de noche, por la
puerta de los cuadrerizos, y, cierta vez, había apedreado
a los de la guardia civil, desapareciendo luego en las sombras de la calle de la Amargura.

En días de lluvia, sus botas se ponían a secar junto al
fogón de la cocina. Marcial hubiese querido tener pies
que llenaran tales botas. La derecha se llamaba *Calambbín*. La izquierda, *Calambán*. Aquel hombre que dominaba los caballos cerreros con sólo encajarles dos dedos
en los belfos; aquel señor de terciopelos y espuelas, que
lucía chisteras tan altas, sabía también lo fresco que era
un suelo de mármol en verano, y ocultaba debajo de los
muebles una fruta o un pastel arrebatados a las bandejas
destinadas al Gran Salón. Marcial y Melchor tenían en común un depósito de grageas y almendras, que llamaban
el «Urí, urí, urá», con entendidas carcajadas. Ambos habían explorado la casa de arriba abajo, siendo los únicos
en saber que existía un pequeño sótano lleno de frascos
holandeses, debajo de las cuadras, y que en desván inútil,
encima de los cuartos de criadas, doce mariposas polvorientas acababan de perder las alas en caja de cristales rotos.

XI

Cuando Marcial adquirió el hábito de romper cosas, olvidó a Melchor para acercarse a los perros. Había varios

en la casa. El atigrado grande; el podenco que arrastraba
las tetas; el galgo, demasiado viejo para jugar; el lanudo
que los demás perseguían en épocas determinadas, y que
las camareras tenían que encerrar.

Marcial prefería a *Canelo* porque sacaba zapatos de las
habitaciones y desenterraba los rosales del patio. Siempre negro de carbón o cubierto de tierra roja, devoraba
la comida de los demás, chillaba sin motivo y ocultaba
huesos robados al pie de la fuente. De vez en cuando,
también, vaciaba un huevo acabado de poner, arrojando
la gallina al aire con brusco palancazo del hocico. Todos
daban de patadas al *Canelo*. Pero Marcial se enfermaba
cuando se lo llevaban. Y el perro volvía triunfante, moviendo la cola, después de haber sido abandonado más
allá de la Casa de Beneficencia, recobrando un puesto que
los demás, con sus habilidades en la caza o desvelos en
la guardia, nunca ocuparían.

Canelo y Marcial orinaban juntos. A veces escogían la
alfombra persa del salón para dibujar en su lana formas
de nubes pardas que se ensanchaban lentamente. Eso cos-
taba castigo de cintarazos. Pero los cintarazos no dolían
tanto como creían las personas mayores. Resultaban, en
cambio, pretexto admirable para armar concertantes de
aullidos, y provocar la compasión de los vecinos. Cuando la bizca del tejadillo calificaba a su padre de «bárba-
ro», Marcial miraba a *Canelo*, riendo con los ojos. Lloraban un poco más, para ganarse un bizcocho, y todo
quedaba olvidado. Ambos comían tierra, se revolcaban al
sol, bebían en la fuente de los peces, buscaban sombra y
perfume al pie de las albahacas. En horas de calor, los canteros húmedos se llenaban de gente. Ahí estaba la gansa
gris, con bolsa colgante entre las patas zambas; el gallo
viejo del culo pelado; la lagartija que decía «urí, urá», sacándose del cuello una corbata rosada; el triste jubo, nacido en ciudad sin hembras; el ratón que tapiaba su agu-

jero con una semilla de carey. Un día, señalaron el perro
a Marcial.

¡Guau, guau! —dijo.

Hablaba su propio idioma. Había logrado la suprema
libertad. Ya quería alcanzar, con sus manos, objetos que
estaban fuera del alcance de sus manos.

XII

Hambre, sed, calor, dolor, frío. Apenas Marcial redu-
jo su percepción a la de estas realidades esenciales, re-
nunció a la luz que ya le era accesoria. Ignoraba su nombre. Retirado del bautismo, con su sal desagradable, no
quiso ya el olfato, ni el oído, ni siquiera la vista. Sus manos rozaban formas placenteras. Era un ser totalmente
sensible y táctil. El universo le entraba por todos los po-
ros. Entonces cerró los ojos que sólo divisaban gigantes
nebulosos y penetró en un cuerpo caliente, húmedo, lleno
de tinieblas, que moría. El cuerpo, al sentirlo arrebozado
con su propia sustancia, resbaló hacia la vida.

Pero ahora el tiempo corrió más pronto, adelgazando
sus últimas horas. Los minutos sonaban a glissando de
naipes bajo el pulgar de un jugador.

Las aves volvieron al huevo en torbellinos de plumas.
Los peces cuajaron la hueva, dejando una nevada de es-
camas en el fondo del estanque. Las palmas doblaron las
pencas, desapareciendo en la tierra como abanicos cerra-
dos. Los tallos sorbían sus hojas y el suelo tiraba de todo
lo que le perteneciera. El trueno retumbaba en los corre-
dores. Crecían pelos en la gamuza de los guantes. Las
mantas de lana se destejían, redondeando el vellón de carneros distantes. Los armarios, los vargueños, las camas,
los crucifijos, las mesas, las persianas, salieron volando
en la noche, buscando sus antiguas raíces al pie de las sel-

vas. Todo lo que tuviera clavos se desmoronaba. Un bergantín, anclado no se sabía dónde, llevó presurosamente
a Italia los mármoles del piso y de la fuente. Las panoplias, los herrajes, las llaves, las cazuelas de cobre, los bocados de las cuadras, se derretían, engrosando un río de
metal que galerías sin techo canalizaban hacia la tierra.
Todo se metamorfoseaba, regresando a la condición primera. El barro, volvió al barro, dejando un yermo en lugar de la casa.

XIII

Cuando los obreros vinieron con el día para proseguir
la demolición, encontraron el trabajo acabado. Alguien
se había llevado la estatua de Ceres, vendida la víspera a
un anticuario. Después de quejarse al Sindicato, los hombres fueron a sentarse en los bancos de un parque municipal. Uno recordó entonces la historia, muy difuminada, de una Marquesa de Capellanías, ahogada, en tarde
de mayo, entre las malangas del Almendares. Pero nadie
prestaba atención al relato, porque el sol viajaba de oriente a occidente, y las horas que crecen a la derecha de los
relojes deben alargarse por la pereza, ya que son las que
más seguramente llevan a la muerte.

Semejante a la noche

> Y caminaba, semejante a
> la noche.
>
> *Ilíada:* Canto I.

I

El mar empezaba a verdecer entre los promontorios todavía en sombras, cuando la caracola del vigía anunció
las cincuenta naves negras que nos enviaba el Rey Agamemnón. Al oír la señal, los que esperaban desde hacía
tantos días sobre las boñigas de las eras, empezaron a bajar el trigo hacia la playa donde ya preparábamos los ro-
dillos que servirían para subir las embarcaciones hasta las
murallas de la fortaleza. Cuando las quillas tocaron la arena, hubo algunas riñas con los timoneles, pues tanto se
había dicho a los micenianos que carecíamos de toda
inteligencia para las faenas marítimas, que trataron de
alejarnos con sus pértigas. Además, la playa se había
llenado de niños que se metían entre las piernas de los
soldados, entorpecían sus maniobras, y se trepaban a las
bordas para robar nueces de bajo los banquillos de los remeros. Las olas claras del alba se rompían entre gritos,

insultos y agarradas a puñetazos, sin que los notables pudieran pronunciar sus palabras de bienvenida, en medio de la baraúnda. Como yo había esperado algo más solemne, más festivo, de nuestro encuentro con los que venían a buscarnos para la guerra, me retiré, algo decepcionado, hacia la higuera en cuya rama gruesa gustaba de montarme, apretando un poco las rodillas sobre la madera, porque tenía un no se qué de flancos de mujer.

A medida que las naves eran sacadas del agua, al pie de las montañas que ya veían el sol, se iba atenuando en mí la mala impresión primera, debida, sin duda, al desvelo de la noche de espera, y también al haber bebido demasiado, el día anterior, con los jóvenes de tierras adentro, recién llegados a esta costa, que habrían de embarcarse con nosotros, un poco después del próximo amanecer. Al observar las filas de cargadores de jarras, de odres negros, de cestas, que ya se movían hacia las naves, crecía en mí, con un calor de orgullo, la conciencia de la superioridad del guerrero. Aquel aceite, aquel vino resinado, aquel trigo sobre todo, con el cual se cocerían, bajo ceniza, las galletas de las noches en que dormiríamos al amparo de las proas mojadas, en el misterio de alguna ensenada desconocida, camino de la Magna Cita de Naves, aquellos granos que habían sido echados con ayuda de mi pala, eran cargados ahora para mí, sin que yo tuviese que fatigar estos largos músculos que tengo, estos brazos hechos al manejo de la pica de fresno, en tareas buenas para los que sólo sabían de oler la tierra; hombres, porque la miraban por sobre el sudor de sus bestias, aunque vivieran encorvados encima de ella, en el hábito de deshierbar y arrancar y rascar, como los que sobre la tierra pacían. Ellos nunca pasarían bajo aquellas nubes que siempre ensombrecían, en esta hora, los verdes de las lejanas islas de donde traían el silfión de acre perfume. Ellos nunca conocerían la ciudad de anchas calles de los troyanos, que ahora íbamos a cercar, atacar y asolar. Durante días y días nos habían hablado, los mensajeros del Rey de Micenas, de la insolencia de Príamo, de la miseria que amenazaba a nuestro pueblo por la arrogancia de sus súbditos, que hacían mofa de nuestras viriles costumbres; trémulos de ira, supimos de los retos lanzados por los de Ilios a nosotros, acaienos de largas cabelleras, cuya valentía no es igualada por la de pueblo alguno. Y fueron clamores de furia, puños alzados, juramentos hechos con las palmas en alto, escudos arrojados a las paredes, cuando supimos del rapto de Elena de Esparta. A gritos nos contaban los emisarios de su maravillosa belleza, de su porte y de su adorable andar, detallando las crueldades a que era sometida en su abyecto cautiverio, mientras los odres derramaban el vino en los cascos. Aquella misma tarde, cuando la indignación bullía en el pueblo, se nos anunció el despacho de las cincuenta naves. El fuego se encendió entonces en las fundiciones de los bronceros, mientras las viejas traían leña del monte. Y ahora, transcurridos los días, yo contemplaba las embarcaciones alineadas a mis pies, con sus quillas potentes, sus mástiles al descanso entre las bordas como la virilidad entre los muslos del varón, y me sentía un poco dueño de esas maderas que un portentoso ensamblaje, cuyas artes ignoraban los de acá, transformaba en corceles de corrientes, capaces de llevarnos a donde desplegábase en acta de grandezas el máximo acontecimiento de todos los tiempos. Y me tocaría a mí, hijo de talabartero, nieto de un castrador de toros, la suerte de ir al lugar en que nacían las gestas cuyo relumbre nos alcanzaba por los relatos de los marinos; me tocaría a mí, la honra de contemplar las murallas de Troya, de obedecer a los jefes insignes, y de dar mi ímpetu y mi fuerza a la obra del rescate de Elena de Esparta, másculo empeño, suprema victoria de una guerra que nos daría, por siempre, prosperidad, dicha y orgullo. Aspiré hondamente la brisa que bajaba por la ladera de los olivares, y pensé que sería hermoso morir en tan justiciera lucha, por la causa misma de la Razón. La idea de ser traspasado por una lanza enemiga me hizo pensar, sin embargo, en el dolor de mi madre, y en el dolor, más hondo tal vez, de quien tuviera que recibir la noticia con los ojos secos, por ser el jefe de la casa. Bajé lentamente hacia el pueblo, siguiendo la senda de los pastores. Tres cabritos retozaban en el olor del tomillo. En la playa, seguía embarcándose el trigo.

II

Con borboneos de vihuela y repiques de tejoltas, festejábase, en todas partes, la próxima partida de las naves. Los marinos de *La Gallarda* andaban ya en zarambeques de negras horras, alternando el baile con coplas de sobado, como aquella de la Moza del Retoño, en que las manos tentaba el objeto de la rima dejado en puntos por las voces. Seguía el trasiego del vino, el aceite y el trigo, con ayuda de los criados indios del Veedor, impacientes por regresar a sus lejanas tierras. Camino del puerto, el que iba a ser nuestro capellán arreaba dos bestias que cargaban con los fuelles y flautas de un órgano de palo. Cuando me tropezaba con gente de la armada, era abrazos ruidosos, de muchos aspavientos, con risas y alardes para sacar las mujeres a sus ventanas. Eramos como hombres de distinta raza, forjados para culminar empresas que nunca conocerían el panadero ni el cardador de ovejas, y tampoco el mercader que andaba pregonando camisas de Holanda, ornadas de caireles de monjas, en patios de comadres. En medio de la plaza, con los cobres al sol, los seis trompetas del Adelantado se habían concertado en folías, en tanto que los tambores borgoñeses atronaban los par-

ches, y bramaba, como queriendo morder, un sacabuche
con fauces de tarasca.

Mi padre estaba en su tienda oliendo a pellejo y cor-
dobanes, hincando la lezna en un ación con el desgano
de quien tiene puesta la mente en espera. Al verme, me
tomó en brazos con serena tristeza, recordando tal vez la
horrible muerte de Cristobalillo, compañero de mis tra-
vesuras juveniles, que había sido traspasado por las fle-
chas de los indios de la Boca del Drago. Pero él sabía que
era locura de todos, en aquellos días, embarcar para las
Indias, aunque ya dijeran muchos hombres cuerdos que
aquello eran engaño común de muchos y remedio parti-
cular de pocos. Algo alabó de los bienes de la artesanía,
del honor —tan honor como el que se logra en riesgosas
empresas— de llevar el estandarte de los talabarteros en
la procesión del Corpus; ponderó la olla segura, el arca
repleta, la vejez apacible. Pero, habiendo advertido tal vez
que la fiesta crecía en la ciudad y que mi ánimo no estaba para cuerdas razones, me llevó suavemente hacia la
puerta de la habitación de mi madre. Aquél era el momento que más temía, y tuve que contener mis lágrimas
ante el llanto de la que sólo habíamos advertido de mi
partida cuando todos me sabían ya asentado en los libros
de la Casa de la Contratación. Agradecí las promesas he-
chas a la Virgen de los Mareantes por mi pronto regreso,
prometiendo cuanto quiso que prometiera, en cuanto a
no tener comercio deshonesto con las mujeres de aquellas tierras, que el Diablo tenía en desnudez mentidamen-
te edénica para mayor confusión y extravío de cristianos
incautos, cuando no maleados por la vista de tanta carne
al desgaire. Luego, sabiendo que era inútil rogar a quien
sueña ya con lo que hay detrás de los horizontes, mi madre empezó a preguntarme, con voz dolorida, por la seguridad de las naves y la pericia de los pilotos. Yo exa-
geré la solidez y marinería de *La Gallarda*, afirmando

que su práctico era veterano de Indias, compañero de
Nuño García. Y, para distraerla de sus dudas, le hablé de
los portentos de aquel mundo nuevo, donde la Uña de
la Gran Bestia y la Piedra Bezar curaban todos los males,
y existía, en tierra de Omeguas, una ciudad toda hecha
de oro, que un buen caminador tardaba una noche y dos
días en atravesar, a la que llegaríamos, sin duda, a menos
de que halláramos nuestra fortuna en comarcas aún ig-
noradas, cunas de ricos pueblos por sojuzgar. Moviendo
suavemente la cabeza, mi madre habló entonces de las
mentiras y jactancias de los indianos, de amazonas y an-
tropófagos, de las tormentas de las Bermudas, y de las
lanzas enharboladas que dejaban como estatua al que hin-
caban. Viendo que a discursos de buen augurio ella opo-
nía verdades de mala sombra, le hablé de altos propósitos, haciéndole ver la miseria de tantos pobres idólatras,
desconocedores del signo de la cruz. Eran millones de almas, las que ganaríamos a nuestra santa religión, cumpliendo con el mandato de Cristo a los Apóstoles. Eramos soldados de Dios, a la vez que soldados del Rey, y
por aquellos indios bautizados y encomendados, librados
de sus bárbaras supersticiones por nuestra obra, conocería nuestra nación el premio de una grandeza inquebran-
table, que nos daría felicidad, riquezas, y poderío sobre
todos los reinos de la Europa. Aplacada por mis palabras, mi madre me colgó un escapulario del cuello y me
dio varios ungüentos contra las mordeduras de alimañas
ponzoñosas, haciéndome prometer, además, que siempre
me pondría, para dormir, unos escarpines de lana que ella
misma hubiera tejido. Y como entonces repicaron las
campanas de la catedral, fue a buscar el chal bordado que
sólo usaba en las grandes oportunidades. Camino del
templo, observé que, a pesar de todo, mis padres estaban
como acrecidos de orgullo por tener un hijo alistado en
la armada del Adelantado. Saludaban mucho y con más

demostraciones que de costumbre. Y es que siempre es
grato tener un mozo de pelo en pecho, que sale a com-
batir por una causa grande y justa. Miré hacia el puerto.
El trigo seguía entrando en las naves.

III

Yo la llamaba mi prometida, aunque nadie supiera aún
de nuestros amores. Cuando vi a su padre cerca de las naves, pensé que estaría sola, y seguí aquel muelle triste, ba-
tido por el viento, salpicado de agua verde, abarandado
de cadenas y argollas verdecidas por el salitre, que conducía a la última casa de ventanas verdes, siempre cerradas. Apenas hice sonar la aldaba vestida de verdín, se
abrió la puerta y, con una ráfaga de viento que traía ga-
rúa de olas, entré en la estancia donde ya ardían las lámparas, a causa de la bruma. Mi prometida se sentó a mi
lado, en un hondo butacón de brocado antiguo, y recos-
tó la cabeza sobre mi hombro con tan resignada tristeza
que no me atreví a interrogar sus ojos que yo amaba, porque siempre parecían contemplar cosas invisibles con aire
asombrado. Ahora, los extraños objetos que llenaban la
sala cobraban un significado nuevo para mí. Algo parecía
ligarme al astrolabio, la brújula y la Rosa de los Vientos;
algo, también, al pez-sierra que colgaba de las vigas del
techo, y a las cartas de Mercator y Ortellius que se abrían
a los lados de la chimenea, revueltos con mapas celestia-
les habitados por Osas, Canes y Sagitarios. La voz de mi
prometida se alzó sobre el silbido del viento que se colaba por debajo de las puertas, preguntando por el estado de los preparativos. Aliviado por la posibilidad de hablar de algo ajeno a nosotros mismos, le conté de los sul-
picianos y recoletos que embarcarían con nosotros, ala-
bando la piedad de los gentileshombres y cultivadores es-

cogidos por quien hubiera tomado posesión de las tierras lejanas en nombre del Rey de Francia. Le dije cuanto sabía del gigantesco río Colbert, todo orlado de árboles centenarios de los que colgaban como musgos plateados, cuyas aguas rojas corrían majestuosamente bajo un cielo blanco de garzas. Llevábamos víveres para seis meses. El trigo llenaba los sollados de *La Bella* y *La Amable*. Íbamos a cumplir una gran tarea civilizadora en aquellos inmensos territorios selváticos, que se extendían desde el ardiente Golfo de México hasta las regiones de Chicagúa, enseñando nuevas artes a las naciones que en ellos residían. Cuando yo creía a mi prometida más atenta a lo que le narraba, la vi erguirse ante mí con sorprendente energía, afirmando que nada glorioso había en la empresa que estaba haciendo repicar, desde el alba, todas las campanas de la ciudad. La noche anterior, con los ojos ardidos por el llanto, había querido saber algo de ese mundo de allende el mar, hacia el cual marcharía yo ahora, y, tomando los ensayos de Montaigne, en el capítulo que trata de los carruajes, había leído cuanto a América se refería. Así se había enterado de la perfidia de los españoles, de cómo, con el caballo y las lombardas, se habían hecho pasar por dioses. Encendida de virginal indignación, mi prometida me señalaba el párrafo en que el bordelés escéptico afirmaba que «nos habíamos valido de la ignorancia e inexperiencia de los indios, para atraerlos a la traición, lujuria, avaricia y crueldades, propias de nuestras costumbres». Cegada por tan pérfida lectura, la joven que piadosamente lucía una cruz de oro en el escote, aprobaba a quien impíamente afirmara que los salvajes del Nuevo Mundo no tenían por qué trocar su religión por la nuestra, puesto que se habían servido muy útilmente de la suya durante largo tiempo. Yo comprendía que, en esos errores, no debía ver más que el despecho de la doncella enamorada, dotada de muy ciertos en-

cantos, ante el hombre que le impone una larga espera,
sin otro motivo que la azarosa pretensión de hacer rápida fortuna en una empresa muy pregonada. Pero, aun
comprendiendo esa verdad, me sentía profundamente herido por el desdén a mi valentía, la falta de consideración
por una aventura que daría relumbre a mi apellido, lo-
grándose, tal vez, que la noticia de alguna hazaña mía, la
pacificación de alguna comarca, me valiera algún título
otorgado por el Rey aunque para ello hubieran de pere-
cer, por mi mano, algunos indios más o menos. Nada
grande se hacía sin lucha, y en cuanto a nuestra santa fe,
la letra con sangre entraba. Pero ahora eran celos los que
se traslucían en el feo cuadro que ella me trazaba de la
isla de Santo Domingo, en la que haríamos escala, y que
mi prometida, con expresiones adorablemente impropias,
calificaba de «paraíso de mujeres malditas». Era evidente
que, a pesar de su pureza, sabía de qué clase eran las mujeres que solían embarcar para el Cabo Francés, en muelle cercano, bajo la vigilancia de los corchetes, entre ri-
sotadas y palabrotas de los marineros; alguien —una cria-
da tal vez— podía haberle dicho que la salud del hombre
no se aviene con ciertas abstinencias y vislumbraba, en un
misterioso mundo de desnudeces edénicas, de calores
enervantes, peligros mayores que los ofrecidos por inun-
daciones, tormentas, y mordeduras de los dragones de
agua que pululan en los ríos de América. Al fin empecé
a irritarme ante una terca discusión que venía a sustituir-
se, en tales momentos, a la tierna despedida que yo hubiera apetecido. Comencé a renegar de la pusilanimidad
de las mujeres, de su incapacidad de heroísmo, de sus fi-
losofías de pañales y costureros, cuando sonaron fuertes
aldabonazos, anunciando el intempestivo regreso del padre. Salté por una ventana trasera sin que nadie, en el mer-
cado, se percatara de mi escapada, pues los transeúntes,
los pescadores, los borrachos —ya numerosos en esta

hora de la tarde— se habían aglomerado en torno a una mesa sobre la que a gritos hablaba alguien que en el instante tomé por un pregonero del Elixir de Orvieto, pero que resultó ser un ermitaño que clamaba por la liberación de los Santos Lugares. Me encogí de hombros y seguí mi camino. Tiempo atrás había estado a punto de alistarme en la cruzada predicada por Fulco de Neuilly. En buena hora una fiebre maligna —curada, gracias a Dios y a los ungüentos de mi santa madre— me tuvo en cama, tiritando, el día de la partida: aquella empresa había terminado, como todos saben, en guerra de cristianos contra cristianos. Las cruzadas estaban desacreditadas. Además, yo tenía otras cosas en qué pensar.

El viento se había aplacado. Todavía enojado por la tonta disputa con mi prometida, me fui hacia el puerto, para ver los navíos. Estaban todos arrimados a los muelles, lado a lado, con las escotillas abiertas, recibiendo millares de sacos de harina de trigo entre sus bordas pintadas de arlequín. Los regimientos de infantería subían lentamente por las pasarelas, en medio de los gritos de los estibadores, los silbatos de los contramaestres, las señales que rasgaban la bruma, promoviendo rotaciones de grúas. Sobre las cubiertas se amontonaban trastos informes, mecánicas amenazadoras, envueltas en telas impermeables. Un ala de aluminio giraba lentamente, a veces, por encima de una borda, antes de hundirse en la obscuridad de un sollado. Los caballos de los generales, colgados de cinchas, viajaban por sobre los techos de los almacenes, como corceles wagnerianos. Yo contemplaba los últimos preparativos desde lo alto de una pasarela de hierro, cuando, de pronto, tuve la angustiosa sensación de que faltaban pocas horas —apenas trece— para que yo también tuviese que acercarme a aquellos buques, cargando con mis armas. Entonces pensé en la mujer; en los días de abstinencia que me esperaban; en la tristeza de morir sin ha-

ber dado mi placer, una vez más, al calor de otro cuerpo.
Impaciente por llegar, enojado aún por no haber recibido un beso, siquiera, de mi prometida, me encaminé a
grandes pasos hacia el hotel de las bailarinas. Christop-
her, muy borracho, se había encerrado ya con la suya.
Mi amiga se me abrazó riendo y llorando, afirmando que
estaba orgullosa de mí, que lucía más guapo con el uni-
forme, y que una cartomántica le había asegurado que
nada me ocurriría en el Gran Desembarco. Varias veces
me llamó *héroe*, como si tuviese una conciencia del duro
contraste que este halago establecía con las frases injustas
de mi prometida. Salí a la azotea. Las luces se encendían
ya en la ciudad, precisando en puntos luminosos la gigantesca geometría de los edificios. Abajo, en las calles,
era un confuso hormigueo de cabezas y sombreros.

No era posible, desde este alto piso, distinguir a las mujeres de los hombres en la neblina del atardecer. Y era,
sin embargo, por la permanencia de ese pulular de seres
desconocidos, que me encaminaría hacia las naves, poco
después del alba. Yo surcaría el Océano tempestuoso de
estos mares, arribaría a una orilla lejana bajo el acero y
el fuego, para defender los Principios de los de mi raza.
Por última vez, una espada había sido arrojada sobre los
mapas de Occidente. Pero ahora acabaríamos para siempre con la nueva Orden Teutónica, y entraríamos, victoriosos, en el tan esperado futuro del hombre reconciliado con el hombre. Mi amiga puso una mano trémula en
mi cabeza, adivinando, tal vez, la magnanimidad de mi
pensamiento. Estaba desnuda bajo los vuelos de su pei-
nador entreabierto.

IV

Cuando regresé a mi casa, con los pasos inseguros de
quien ha pretendido burlar con el vino la fatiga del cuer-

po ahíto de holgarse sobre otro cuerpo, faltaban pocas horas para el alba. Tenía hambre y sueño, y estaba desasosegado, al propio tiempo, por las angustias de la partida próxima. Dispuse mis armas y correajes sobre un escabel y me dejé caer en el lecho. Noté entonces, con sobresalto, que alguien estaba acostado bajo la gruesa manta de lana, y ya iba a echar mano al cuchillo cuando me vi preso entre brazos encendidos de fiebre, que buscaban mi cuello como brazos de náufrago, mientras unas piernas indeciblemente suaves se trepaban a las mías. Mudo de asombro quedé al ver que la que de tal manera se había deslizado en el lecho era mi prometida. Entre sollozos me contó su fuga nocturna, la carrera temerosa de ladridos, el paso furtivo por la huerta de mi padre, hasta alcanzar la ventana, y las impaciencias y los miedos de la espera. Después de la tonta disputa de la tarde, había pensado en los peligros y sufrimientos que me aguardaban, sintiendo esa impotencia de enderezar el destino azaroso del guerrero que se traduce, en tantas mujeres, por la entrega de sí mismas, como si ese sacrificio de la virginidad, tan guardada y custodiada, en el momento mismo de la partida, sin esperanzas de placer, dando el desgarre propio para el goce ajeno, tuviese un propiciatorio poder de ablación ritual. El contacto de un cuerpo puro, jamás palpado por manos de amante, tiene un frescor único y peculiar dentro de sus crispaciones, una torpeza que sin embargo acierta, un candor que intuye, se amolda y encuentra, por obscuro mandato, las actitudes que más estrechamente machiembran los miembros. Bajo el abrazo de mi prometida, cuyo tímido vellón parecía endurecerse sobre uno de mis muslos, crecía mi enojo por haber extenuado mi carne en trabazones de harto tiempo conocidas, con la absurda pretensión de hallar la quietud de días futuros en los excesos presentes. Y ahora que se me ofrecía el más codiciable consentimiento, me hallaba casi in-

sensible bajo el cuerpo estremecido que se impacientaba.
No diré que mi juventud no fuera capaz de enardecerse
una vez más aquella noche, ante la incitación de tan deleitosa novedad. Pero la idea de que era una virgen la que
así se me entregaba, y que la carne intacta y cerrada exi-
giría un lento y sostenido empeño por mi parte, se me im-
puso con el temor al acto fallido. Eché a mi prometida a
un lado, besándola dulcemente en los hombros, y empecé a hablarle, con sinceridad en falsete, de lo inhábil que
sería malograr júbilos nupciales en la premura de una partida; de su vergüenza al resultar empreñada; de la tristeza de los niños que crecen sin un padre que les enseñe a
sacar la miel verde de los troncos huecos, y a buscar pul-
pos debajo de las piedras. Ella me escuchaba, con sus
grandes ojos claros encendidos en la noche, y yo advertía que, irritada por un despecho sacado de los trasmun-
dos del instinto, despreciaba al varón que, en semejante
oportunidad, invocara la razón y la cordura, en vez de ro-
turarla, y dejarla sobre el lecho, sangrante como un tro-
feo de caza, de pechos mordidos, sucia de zumos, pero
hecha mujer en la derrota. En aquel momento bramaron
las reses que iban a ser sacrificadas en la playa y sonaron
las caracolas de los vigías. Mi prometida, con el despre-
cio pintado en el rostro, se levantó bruscamente, sin dejarse tocar, ocultando ahora, menos con gesto de pudor
que con ademán de quien recupera algo que estuviera a
punto de malbaratar, lo que de súbito estaba encendien-
do mi codicia. Antes de que pudiera alcanzarla, saltó por
la ventana. La vi alejarse a todo correr por entre los oli-
vos, y comprendí en aquel instante que más fácil me sería entrar sin un rasguño en la ciudad de Troya, que recuperar a la Persona perdida.

Cuando bajé hacia las naves, acompañado de mis padres, mi orgullo de guerrero había sido desplazado en mi
ánimo por una intolerable sensación de hastío, de vacío

interior, de descontento de mí mismo. Y cuando los timoneles hubieron alejado las naves de la playa con sus
fuertes pértigas, y se enderezaron los mástiles entre las filas de remeros, supe que habían terminado las horas de
alarde, de excesos, de regalos, que preceden las partidas
de soldados hacia los campos de batalla. Había pasado el
tiempo de las guirnaldas, las coronas de laurel, el vino en
cada casa, la envidia de los canijos, y el favor de las mujeres. Ahora, serían las dianas, el lodo, el pan llovido, la
arrogancia de los jefes, la sangre derramada por error, la
gangrena que huele a almíbares infectos. No estaba tan
seguro ya de que mi valor acrecería la grandeza y la dicha de los acaienos de largas cabelleras. Un soldado viejo
que iba a la guerra por oficio, sin más entusiasmo que el
trasquilador de ovejas que camina hacia el establo, andaba contando ya, a quien quisiera escucharlo, que Elena
de Esparta vivía muy gustosa en Troya, y que cuando se
refocilaba en el lecho de Paris sus estertores de gozo encendían las mejillas de las vírgenes que moraban en el palacio de Príamo. Se decía que toda la historia del doloroso cautiverio de la hija de Leda, ofendida y humillada por
los troyanos, era mera propaganda de guerra, alentada
por Agamemnón, con el asentimiento de Menelao. En
realidad, detrás de la empresa que se escudaba con tan ele-
vados propósitos, había muchos negocios que en nada be-
neficiarían a los combatientes de poco más o menos. Se
trataba sobre todo —afirmaba el viejo soldado— de vender más alfarería, más telas, más vasos con escenas de ca-
rreras de carros, y de abrirse nuevos caminos hacia las
gentes asiáticas, amantes de trueques, acabándose de una
vez con la competencia troyana. La nave, demasiado car-
gada de harina y de hombres, bogaba despacio. Contem-
plé largamente las casas de mi pueblo, a las que el sol
daba de frente. Tenía ganas de llorar. Me quité el casco
y oculté mis ojos tras de las crines enhiestas de la cimera

que tanto trabajo me hubiera costado redondear —a semejanza de las cimeras magníficas de quienes podían en-
cargar sus equipos de guerra a los artesanos de gran estilo, y que, por cierto, viajaban en la nave más velera y
de mayor eslora.

I

Con dos tambores andaba Juan a lo largo del Escalda —el
suyo, terciado en la cadera izquierda; al hombro, el ganado a las cartas—, cuando le llamó la atención una nave,
recién arrimada a la orilla, que acababa de atar gúmenas
a las bitas. Como la llovizna de aquel atardecer le repi-
caba quedo en el parche mal abrigado por el ala del sombrero, todo había de parecerle un tanto aneblado, aneblado como lo estaba ya por el aguardiente y la cerveza del
vivandero amigo, cuyo carro humeaba por todos los hor-
nillos, un poco más abajo, cerca de la iglesia luterana que
habían transformado en caballerizas. Sin embargo, aquel
barco traía una tal tristeza entre las bordas, que la bruma
de los canales parecía salirle de adentro, como un aliento
de mala suerte. Las velas le estaban remendadas con lo-
nas viejas, de colores mohosos; tenía pelos en los corda-
jes, musgos en las vergas, y de los flancos sin carenar le

41

colgaban andrajos de algas muertas. Un caracos, aquí, allá, pintaba una estrella, una rosa gris, una moneda de yeso, en aquella vegetación de otros mares, que acababa de podrirse, en pardo y verdinegro, al conocer la frialdad de aguas dormidas entre paredes obscuras. Los marinos parecían extenuados, de pómulos hundidos, ojerosos, desdentados, como gente que hubiera sufrido el mal de escorbuto. Acababan de soltar los cabos de una faluca que les había arrastrado hasta el muelle, con gestos que no expresaban, siquiera, el contento de ver encenderse las luces de las tabernas. La nave y los hombres parecían envueltos en un mismo remordimiento, como si hubiesen blasfemado el Santo Nombre en alguna tempestad, y los que ahora estaban enrollando cuerdas y plegando el trapío, lo hacían con el desgano de condenados a no poner más el pie en tierra. Pero, de pronto, abrióse una escotilla, y fue como si el sol iluminara el crepúsculo de Amberes. Sacados de las penumbras de un sollado, aparecieron naranjos enanos, todos encendidos de frutas, plantados en medios toneles que empezaron a formar una olorosa avenida en la cubierta. Ante la salida de aquellos árboles vestidos de suntuosas cáscaras quedó la tarde transfigurada, y un olor a zumos, a pimienta, a canela, hizo que Juan, atónito, pusiera en el suelo el tambor cargado en el hombro, para sentarse a horcajadas sobre él. Era cierto, pues, lo de los amores del Duque con lo que decían de los suntuarios caprichos de su dueña, ganosa siempre de los presentes que sólo un Alba, por mero antojo, podía hacer traer de las Islas de las Especias, de los Reinos de Indias o del Sultanato de Ormuz. Aquellos naranjos, tan pequeños y cargados, habían sido criados, sin duda, en alguna huerta de moros bautizados —que nadie los aventajaba en eso de hacer portentos con las matas—, antes de desafiar tormentas y bajeles enemigos, para venir a adornar alguna galería de espejos, en el palacio de

la que arrebolaba su cutis de flamenca con los más finos
polvos de coral del Levante. Y es que cuando ciertas mujeres se daban a pedir, en aquellos días de tantas nave-
gaciones y novedades no les bastaban ya los afeites que
durante siglos se tuvieran por buenos, sino que pedían
invenciones de Dinamarca, bálsamos de Moscovia y
esencia de flores nuevas; si se trataba de aves, querían el
papagayo indiano que dice insolencias, y en cuanto a perros, no se contentaban ya con el gozque cariñoso, sino
que reclamaban falderos con traza de grifos, o animales
con bastante lana para trasquilarlos de modo que tuvieran una melena berberisca donde prender lazos de color.
Así, cuando el aguardiente del vivandero zamorano se su-
bía a la cabeza de los soldados, había siempre quien se sol-
tara la lengua, afirmando que si el Duque permanecía tanto tiempo en Amberes, con unos cuarteles de invierno
que ya pasaban de cuarteles de primavera, era porque no
acababa de resolverse a dejar de escuchar una voz que sonaba, sobre el mástil del laúd, como sonarían las voces
de las sirenas, mentadas por los antiguos. «¿Sirenas?», había gritado poco antes la moza fregona, gran trasegadora
de aguardiente, que venía zapateando desde Nápoles, tras
de la tropa. «¿Sirenas? ¡Digan mejor que más tiran dos
tetas que dos carretas!» Juan no había oído el resto, en
el revuelo de soldados que se apartaban del carro del vivandero sin pagar lo comido ni bebido, por temor a que
algún criado del Duque anduviese por allí y denunciara
la ocurrencia. Pero ahora, ante esos naranjos que eran llevados a tierra, bajo la custodia de un alférez recién llegado, le volvían las palabras de la moza, subrayadas por un
espeso trazo de evidencia. Ya venían a cargar los árboles
enanos unos carros entoldados que eran de la intenden-
cia. Ahuecado el estómago por el repentino deseo de comer una olleta de panzas o roer una uña de vaca, Juan
volvió a montarse en el hombro el tambor ganado a los

naipes. En aquel momento observó que por el puente de
una gúmena bajaba a tierra una enorme rata, de rabo pelado, como achichonada y cubierta de pústulas. El soldado agarró una piedra con la mano que le quedaba libre,
meciéndola para hallar el tino. La rata se había detenido
al llegar al muelle, como forastero que al desembarcar en
una ciudad desconocida se pregunta dónde están las casas. Al sentir el rebote de un guijarro que ahora le pasaba sobre el lomo para irse al agua del canal, la rata echó
a correr hacia la casa de los predicadores quemados, donde se tenía el almacén del forraje. Sin pensar más en esto,
Juan regresó hacia el carro del vivandero zamorano. Allí,
por amoscar a la fregona, los soldados de la compañía coreaban unas coplas que ponían a las de su pueblo de vir-
gos cosidos, pegadoras de cuernos y alcahuetas. Pero, en
eso pasaron los carros cargados de naranjos enanos, y
hubo un repentino silencio, roto tan sólo por un gruñido
de la moza, y el relincho de un garañón que sonó en la
nave de los luteranos como la misma risa de Belcebú.

II

Creyóse, en un comienzo, que el mal era de bubas, lo
cual no era raro en gente venida de Italia. Pero, cuando
aparecieron fiebres que no eran terciarias, y cinco soldados de la compañía se fueron en vómitos de sangre, Juan
empezó a tener miedo. A todas horas se palpaba los gan-
glios donde suele hincharse el humor del mal francés, esperando encontrárselos como rosario de nueces. Y a pesar de que el cirujano se mostraba dudoso en cuanto a
pronunciar el nombre de una enfermedad que no se veía
en Flandes desde hacía mucho tiempo a causa de la humedad del aire, sus andanzas por el reino de Nápoles le
hacían columbrar que aquello era peste, y de las peores.

Pronto supo que todos los marineros del barco de los naranjos enanos yacían en sus camastros, maldiciendo la
hora en que hubieran respirado los aires de Las Palmas,
donde el mal, traído por cautivos rescatados de Argel, de-
rribaba las gentes en las calles, como fulminadas por el
rayo. Y como si el temor al azote fuese poco, la parte de
la ciudad donde se alojaba la compañía se había llenado
de ratas. Juan recordaba, como alimaña de mal agüero,
aquella rata hedionda y rabipelada, a la que había fallado
por un palmo, en la pedrada, y que debía ser algo así
como el abanderado, el pastor hereje, de la horda que corría por los patios, se colaba en los almacenes, y acababa
con todos los quesos de aquella orilla. El aposentador del
soldado, pescadero con trazas de luterano, se desespera-
ba cada mañana al encontrar sus arenques medio comidos, alguna raya con la cola de menos y la lamprea en el
hueso, cuando un bicho inmundo no estaba ahogado, de
panza arriba, en el vivero de las anguilas. Había que ser
cangrejo o almeja, para resistir al hambre asiática de aquellas ratas llagadas y purulentas, venidas de sabe Dios qué
Isla de las Especias, que roían hasta el correaje de las corazas y el cuero de las monturas, y hasta profanaban las
hostias sin consagrar del capellán de la compañía. Cuando un aire frío, bajado de los pastos anegados, hacía ti-
ritar al soldado en el desván bajo pizarra que tenía por
alojamiento, se dejaba caer en su catre, gimoteando que
ya se le abrasaba el pecho y le dolían las bubas, y que la
muerte sería buen castigo por haber dejado la enseñanza
de los cantos que se destinan a la gloria de Nuestro Señor, para meterse a tambor de tropa, que eso no era arte
de cantar motetes, ni ciencia del Cuadrivio, sino música
de zambombas, pandorgas y castrapuercos, como la tocaban, en cualquier alegría de Corpus, los mozos de su
pueblo. Pero, con un parche y un par de vaquetas se podía correr el mundo, del Reino de Nápoles al de Flandes,

marcando el compás de la marcha, junto al trompeta y al
pífano de boj. Y como Juan no se sentía con alma de clé-
rigo ni de chantre, había trocado el probable honor de llegar a ingresar, algún día, en la clase del maestro Ciruelo,
en Alcalá, por seguir al primer capitán de leva que le pusiera tres reales de a ocho en la mano, prometiéndole gran
regocijo de mujeres, vinos y naipes, en la profesión militar. Ahora que había visto mundo, comprendía la vanidad de las apetencias que tantas lágrimas costaron a su
santa madre. De nada le había servido repicar la carga en
el fuego de tres batallas, desafiando el trueno de las lombardas, si la muerte estaba aquí, en este desván cuyos ven-
tanales de cristales verdes se teñían tan tristemente con
los fulgores de las antorchas de la ronda, al son de aquel
tambor pelado, tan mal tocado por esos flamencos de sangre de lúpulo que nunca daban cabalmente con el compás. La verdad era que Juan había gimoteado todo aquello del pecho abrasado y de las bubas hinchadas, para que
Dios, compadecido de quien se creía enfermo, no le man-
dara cabalmente la enfermedad. Pero, de súbito, un horrible frío se le metía en el cuerpo. Sin quitarse las botas,
se acostó en el catre, echándose una manta encima, y encima de la manta un edredón. Pero no era una manta, ni
un edredón, sino todas las mantas de la compañía, todos
los edredones de Amberes, los que le hubiesen sido ne-
cesarios, en aquel momento, para que su cuerpo destem-
plado hallara el calor que el Rey Salomón viejo tratara de
encontrar en el cuerpo de una doncella. Al verlo temblar
de tal suerte, el pescadero, llamado por los gemidos, había retrocedido con espanto, bajando las escaleras llenas
de ratas, a los gritos de que el mal estaba en la casa, y
que esto era castigo de católicos por tanta simonía y negocios de bulas. Entre humos vio Juan el rostro del cirujano que le tentaba las ingles, por debajo del cinturón des-
ceñido, y luego fue, de repente, en un extraño redoble de

cajas —muy picado, y sin embargo tenido en sordina—
la llegada portentosa del Duque de Alba.

Venía solo, sin séquito, vestido de negro, con la gola
tan apretada al cuello, adelantándola la barba entrecana,
que su cabeza hubiera podido ser tomada por cabeza de
degollado, llevada de presente en fuente de mármol blanco. Juan hizo un tremendo esfuerzo por levantarse de la
cama, parándose como correspondía a un soldado, pero
el visitante saltó por sobre el edredón que lo cubría, yendo a sentarse del otro lado, sobre un taburete de esparto,
donde había varios frascos de barro. Los frascos no cayeron ni se rompieron, aunque un olor a ginebra se es-
parciera por el cuarto, como un sahumerio de sinagoga.
Afuera sonaban confusas trompetas, revueltas en gran
desconcierto, desafinadas, como tiritándolas las notas, en
el mismo frío que tenía tableteando los dientes del enfermo. El Duque de Alba, sin desarrugar un ceño de quemar luteranos, sacó tres naranjas que le abultaban bajo el
entallado del jubón, y empezó a jugar con ellas, a la manera de los titiriteros, pasándoselas de mano a mano, por
encima del peinado a la romana, con sorprendente pres-
teza. Juan quiso hacer algún elogio de su pericia en artes
que se le desconocían, llamándolo, de paso, León de España, Hércules de Italia y Azote de Francia, pero no le
salían las palabras de la boca. De pronto una violenta lluvia tamborileó en las pizarras del techo. La ventana que
daba a la calle se abrió al empuje de una ráfaga, apagán-
dose el candil. Y Juan vio salir al Duque de Alba en el
viento, tan espigado de cuerpo que se le culebreó como
cinta de raso al orillar el dintel, seguido de las naranjas
que ahora tenían embudos por sombreros, y se sacaban
unas patas de ranas de los pellejos, riendo por las arrugas
de sus cáscaras. Por el desván pasaba volando, de patio a
calle, montada en el mástil de un laúd, una señora de pechos sacados del escote, con la basquiña levantada y las

nalgas desnudas bajo los alambres del guardainfantes.
Una ráfaga que hizo temblar la casa acabó de llevarse a
la horrorosa gente, y Juan, medio desmayado de terror
buscando aire puro en la ventana, advirtió que el cielo estaba despejado y sereno. La Vía Láctea, por vez primera
desde el pasado estío, blanqueaba el firmamento.

—¡El Camino de Santiago! —gimió el soldado, cayendo de rodillas ante su espada, clavada en el tablero del
piso, cuya empuñadura dibujaba el signo de la cruz.

III

Por caminos de Francia va el romero, con las manos
flacas asidas del borbón, luciendo la esclavina santificada
por hermosas conchas cosidas al cuero, y la calabaza que
sólo carga agua de arroyos. Empieza a colgarle la barba
entre las alas caídas del sombrero peregrino, y ya se le
desfleca la estameña del hábito sobre la piadosa miseria
de sandalias que pisaron el suelo de París sin hollar baldosas de taberna, ni apartarse de la recta vía de Santiago,
como no fuera para admirar de lejos la santa casa de los
monjes clunicenses. Duerme Juan donde le sorprende la
noche, convidado a más de una casa por la devoción de
las buenas gentes, aunque cuando sabe de un convento
cercano, apura un poco el paso, para llegar al toque del
Angeles, y pedir albergue al lego que asoma la cara al ras-
trillo. Luego de dar a besar la venera, se acoge al amparo
de los arcos de la hospedería, donde sus huesos, atribu-
lados por la enfermedad y las lluvias tempranas que le
azotaron el lomo desde Flandes hasta el Sena, sólo hallan
el descanso de duros bancos de piedra. Al día siguiente
parte con el alba, impaciente por llegar, al menos, al Paso
de Roncesvalles, desde donde le parece que el cuerpo le
estará menos quebrantado, por hallarse tierra de gente de

su misma lana. En Tours se le juntan dos romeros de Alemania, con los que habla por señas. En el Hospital de San Hilario de Poitiers se encuentra con veinte romeros más, y es ya una partida la que prosigue la marcha hacia las Landas, dejando atrás el rastrojo del trigo, para encontrar la madurez de las vides. Aquí todavía es verano, aunque se cumplen faenas de otoño. El sol demora sobre las copas de los pinos, que se van apretando cada vez más, y entre alguna uva agarrada al paso, y los descansos de mediodía que se hacen cada vez más largos, por lo oloroso de las hierbas y el frescor de las sombras, los romeros se dan a cantar. Los franceses, en sus coplas, hablan de las buenas cosas a que renunciaron por cumplir sus votos a Saint Jacques; los alemanes garraspean unos latines tudescos, que apenas si dejan en claro el *Herru Sanctiagu! Got Sanctiagu!* En cuanto a los de Flandes, más concertados, entonan un himno que ya Juan adorna de contracantos de su invención: «¡Soldado de Cristo, con santas plegarias, a todos defiendes, de suertes contrarias!».

Y así caminando despacio, llevando fila de más de ochenta peregrinos, se llega a Bayona, donde hay buen hospital para espulgarse, poner correas nuevas a las sandalias, sacarse los piojos entre hermanos, y solicitar algún remedio para los ojos que muchos, a causa del polvo del camino, traen legañosos y dañados. Los patios del edificio son hervideros de miserias, con gente que se rasca las sarnas, muestra los muñones, y se limpia las llagas con el agua del aljibe. Hay quien carga lamparones que no sanaron ni con el tocamiento del Rey de Francia, y otro que jinetea un banco para descansar del estorbo de partes tan hinchadas, que parecen las verijas del gigante Adamastor. Juan el Romero es de los pocos que no solicitan remedios. El sudor que tanto le ha pringado el sayal cuando se andaba al sol entre viñas, le alivió el cuerpo de malos humores. Luego, agradecieron sus pulmones de bál-

samo de los pinos, y ciertas brisas que, a veces, traían el
olor del mar. Y cuando se da el primer baño, con baldes
sacados del pozo santificado por la sed de tantos peregrinos, se siente tan entonado y alegre, que va a despachar-
se un jarro de vino a orillas del Adur, confiando en que
hay dispensa para quien corre el peligro de resfriarse luego de haberse mojado la cabeza y los brazos por primera
vez en varias semanas. Cuando regresa al hospital no es
agua clara lo que carga su calabaza, sino tintazo del fuerte, y para beberlo despacio se adosa a un pilar del atrio.
En el cielo se pinta siempre el Camino de Santiago. Pero
Juan, con el vino aligerándole el alma, no ve ya el Campo Estrellado como la noche en que la peste se le acercara con un tremebundo aviso de castigo por sus muchos
pecados. A tiempo había hecho la promesa de ir a besar
la cadena con que el Apóstol Mayor fuese aprisionado en
Jerusalem. Pero ahora, descansado, algo bañado, con piojos de menos y copas de más, empieza a pensar si aquella
visión diabólica no sería obra de la fiebre. El gemido de
un anciano con media cara comida por un tumor, que
yace a su lado, le recuerda al punto que los votos son votos, y metiendo la cabeza en el rebozo de la esclavina, se
regocija pensando que llegará con el cuerpo sano, donde
otros prosternarán sus llagas y costras, luego de pasarlas,
inseguros aún del divino remiendo, bajo el arco de la
Puerta Francina. La salud recobrada le hace recordar, gra-
tamente, aquellas mozas de Amberes, de carnes abundosas, que gustaban de los flacos españoles, peludos como
chivos, y se los sentaban en el ancho regazo, antes del trato, para zafarles las corazas con brazos tan blancos que
parecían de pasta de almendras. Ahora sólo vino llevará
el romero en la calabaza que cuelga de los clavos de su
bordón.

IV

El camino de Francia arroja al romero, de pronto, en
el alboroto de una feria que le sale al paso, entrando en
Burgos. El ánimo de ir rectamente a la catedral se le
ablanda al sentir el humo de las frutas de sartén, el olor
de las carnes en parrilla, los mondongos con perejil, el aji-
mójele, que le invita a probar, dadivosa, una anciana des-
dentada, cuyo tenducho se arrima a una puerta monu-
mental, flanqueada por torres macizas. Luego del guiso,
hay el vino de los odres cargados en borricos, más bara-
to que el de las tabernas. Y luego es el dejarse arrastrar
por el remolino de los que miran, yendo del gigante al
volatinero, del que vende aleluyas en pliego suelto, al que
muestra, en cuadros de muchos colores, el suceso tremendo de la mujer preñada del Diablo, que parió una ma-
nada de lechones en Alhucemas. Allí promete uno sacar
las muelas sin dolor, dando un paño encarnado al pacien-
te para que no se le vea correr la sangre, con ayudante
que golpea la tambora con mazo, para que no se le oigan
los gritos; allá se ofrecen jabones de Bolonia, unto para
los sabañones, raíces de buen alivio, sangre de dragón. Y
es el estrépito de siempre, con la fritura de los buñuelos,
y el desafinado de las chirimías, con algún perro de jubón y gorro, que viene a pedir limosna para el pobre tu-
llido, caminando en las patas traseras, como cristiano.
Cansado de verse zarandeado, Juan el Romero se de-
tiene, ahora, ante unos ciegos parados en un banco, que
terminan de cantar la portentosa historia de la Arpía
Americana, terror del cocodrilo y el león, que tenía
su hediondo asiento en anchas cordilleras e intrincados
desiertos.

—Por una cuantiosa suma
La ha comprado un europeo,
Y con ella se vino a Europa;
En Malta desembarcóla,
Desde allí fue al país griego,
Y luego a Constantinopla,
Toda la Tracia siguiendo.
Allí empezó a no querer
Admitir los alimentos,
Tanto que a las pocas semanas
Murió rabiando y rugiendo.

Coro: Este fin tuvo la Arpía
Monstruo de natura horrendo,
Ojalá todos los monstruos
Se murieran en naciendo.

Por no dar limosna, los que escuchaban en segunda fila
se escurren prestamente, riendo de los ciegos que descargan su enojo en la prosapia de los tacaños; pero otros ciegos les cierran el paso, un poco más lejos, cerca de donde se representa, en retablo de títeres, el sucedido de los moros que entraron en Cuenca disfrazados de carneros. Escapando de la Arpía Americana, Juan se ve llevado a la Isla de Jauja, de la que se tenían noticias desde que Pizarro hubiera conquistado el Reino del Perú. Aquí los cantores tiene la voz menos rajada, y mientras uno ofrece oraciones para las mujeres que no paren, el jefe de los otros, ciego de grande estatura, tocado por un sombrero negro, bordonea con larguísimas uñas en su vihuela, dando fin al romance:

—Hay en cada casa un huerto
De oro y plata fabricado
Que es prodigio lo que abunda
De riquezas y regalos.
A las cuatro esquinas de él

Hay cuatro cipreses altos:
El primero de perdices,
El segundo gallipavos,
El tercero cría conejos
Y capones cría el cuarto.
Al pie de cada ciprés
Hay un estanque cuajado
Cual de doblones de a ocho,
Cual de doblones de a cuatro.

Y ahora, dejando la tonada de la copla para tomar empaque de pregonero de levas, concluye el ciego con voz
que alcanza los cuatro puntos de la feria, alzando la vihuela como estandarte:

—¡Animo, pues, caballeros,
Animo, pobres hidalgos,
Miserables, buenas nuevas,
Albricias, todo cuitado!
¡Que el que quiere partirse
A ver este nuevo pasmo
Diez navíos salen juntos
De Sevilla este año...!

Vuelven a escurrirse los oyentes, otra vez injuriados
por los cantores, y se ve Juan empujado al cabo de un callejón donde un indiano embustero ofrece, con grandes
aspavientos, como traídos del Cuzco, dos caimanes rellenos de paja. Lleva un mono en el hombro y un papagayo
posado en la mano izquierda. Sopla en un gran caracol
rosado, y de una caja encarnada sale un esclavo negro,
como Lucifer de auto sacramental, ofreciendo collares de
perlas melladas, piedras para quitar el dolor de cabeza, fajas de lana de vicuña, zarcillos de oropel, y otras buhonerías del Potosí. Al reír muestra el negro los dientes extrañamente tallados en punta y las mejillas marcadas a cuchillo, y agarrando unas sonajas se entrega al baile más

extravagante, moviendo la cintura como si se le hubiera desgajado, con tal descaro de ademanes, que hasta la vieja de las panzas se aparta de sus ollas para venir a mirarlo. Pero en eso empieza a llover, corre cada cual a resguardarse bajo los aleros —el titiritero con los títeres bajo la capa, los ciegos agarrados de sus palos, mojada en su aleluya la mujer que parió lechones—, y Juan se encuentra en la sala de un mesón, donde se juega a los naipes y se bebe recio. El negro seca al mono con un pañuelo, mientras el papagayo se dispone a echar un sueño, posado en el aro de un tonel. Pide vino el indiano, y empieza a contar embustes al romero. Pero Juan, prevenido como cualquiera contra embuste de indianos, piensa ahora que ciertos embustes pasaron a ser verdades. La Arpía Americana, monstruo pavoroso, murió en Constantinopla, rabiando y rugiendo. La tierra de Jauja había sido cabalmente descubierta, con sus estanques de doblones, por un afortunado capitán llamado Longores de Sentlam y de Gorgas. Ni el oro del Perú, ni la plata del Potosí eran embustes de indianos. Tampoco las herraduras de oro, clavadas por Gonzalo Pizarro en los cascos de sus caballos. Bastante que lo sabían los contadores de las Flotas del Rey, cuando los galeones regresaban a Sevilla, hinchados de tesoros. El indiano, achispado por el vino, habla luego de portentos menos pregonados: de una fuente de aguas milagrosas, donde los ancianos más encorvados y tullidos no hacían sino entrar, y al salirles la cabeza del agua, se les veía cubierta de pelos lustrosos, las arrugas borradas, con la salud devuelta, los huesos desentumecidos, y unos arrestos como para empreñar una armada de Amazonas. Hablaba del ámbar de la Florida, de las estatuas de gigantes vistas por el otro Pizarro en Puerto Viejo, y de las calaveras halladas en Indias, con dientes de tres dedos de gordo, que tenían una oreja sola, y ésa, en medio del colodrillo. Había, además, una ciudad, herma-

na de la de Jauja, donde todo era de oro, hasta las bacías
de los barberos, las cazuelas y peroles, el calce de las carrozas, los candiles. «¡Ni que fueran alquimistas sus mo-
radores!», exclama el romero atónito. Pero el indiano
pide más vino y explica que el oro de Indias ha dado tér-
mino a las lucubraciones de los perseguidores de la Gran
Obra. El mercurio hermético, el elixir divino, la lunaria
mayor, la calamina y el azófar, son abandonados ya por
todos los estudiosos de Morieno, Raimundo y Avicena,
ante la llegada de tantas y tantas naves cargadas de oro
en barras, en vasos, en polvo, en piedras, en estatuas, en
joyas. La transmutación no tiene objeto donde no hay
operación que cumplir en hornacha para tener oro del
mejor, hasta donde alcanza la mano de un buen extreme-
ño, parado en una estancia de regular tamaño.

Noche es ya cuando el indiano se va al aposento, tra-
bada la lengua por tanto vino bebido, y el negro sube,
con el mono y el papagayo, al pajar de la cuadra. El romero, también metido en humos, yéndose a un lado y
otro del bordón —y, a veces, girando en derredor—, acaba por salirse a un callejón de las afueras, donde una moza
le acoge en su cama hasta mañana, a cambio del permiso
de besar las santas veneras que comienzan a descoserse
de su esclavina. Las muchas nubes que se ciernen sobre
la ciudad ocultan, esta noche, el Camino de Santiago.

V

Dice ahora, a quien quiere oírle, que regresa de donde
nunca estuvo. Allá quedó Santiago el Mayor, y la cadena
que le aprisionó y el hacha que lo decapitó. Por aprove-
char las hospederías de los conventos y su caldo de ber-
zas con pantortas de centeno; por gozar de las ventajas
de las licencias, sigue llevando Juan el hábito, la esclavina

y la calabaza, aunque ésta, en verdad, sólo carga ya aguardiente. Bien atrás quedó el Camino Francés, en beneficio
de otro que, al pasar por Ciudad Real, lo tuvo tres días
pegado a los odres del más famoso vino de todo el Reino. De allí en adelante nota algo cambiado en las gentes.
Poco hablan de lo que ocurre en Flandes, viviendo con
los oídos atentos a Sevilla, por donde llegan noticias del
hijo ausente, del tío que mudó la herrería a Cartagena,
del otro que perdió su plata, por no tenerla registrada.
Hay pueblos de donde han marchado familias enteras;
canteros con sus oficiales, hidalgos pobres, con el caballo
y los criados. Ahora tocan cajas en todas las plazas, le-
vando gente para conquistar y poblar nuevas provincias
de la Tierra Firme. Los mesones, los albergues, están llenos de viajeros. Así, habiendo trocado la venera por la
Rosa de los Vientos, llega Juan el Romero a la Casa de
la Contratación, tan olvidado de haber sido peregrino,
que más parece un actor de compañía desbandada, de los
que, a falta de dinero, echan mano a las arcas del vestua-
rio, acabando por ponerse la casaca del bobo del entre-
més, las bragas del vizcaíno, la cota de Pilato, y el sombrero que llevaba Arcadio, el pastor enamorado de la comedia al estilo italiano, que no gustó. Poco a poco, ha-
ciéndose de unas calzas acá, allá de una capa, cambiando
la esclavina por zapatos, regateando al ropavejero, Juan
lucía un atuendo que si en nada recordaba al romero, tampoco evocaba al soldado de los Tercios de Italia. Además, no era propósito suyo acudir a la llamada de las levas, pues bien le había advertido el Indiano que las conquistas a lo Cortés, yéndose en armada, no era ya lo que
mejor aprovechaba. Lo que ahora pagaba en Indias era el
olfato aguzado, la brújula del entendimiento, el arte de
saltar por sobre los demás, sin reparar mucho en orde-
nanzas de Reales Cédulas, reconvenciones de bachilleres,
ni griterías de Obispos, allí donde la misma Inquisición

tenía la mano blanda, por tener muy poco que hacer con
tantos negros e indios, escasamente preparados en mate-
ria de fe, sabiéndose, además, que si hubiese empeño en
repartir sambenitos, los más se irían en vestir capellanes
culpables del delito de solicitación en el confesionario; y
como la atenuante del impulso repentino era tanto más
válida en tierras calientes, el Santo Oficio americano había optado, desde el comienzo, por calentar jícaras de
chocolate en sus braseros, sin afanarse en establecer distingos de herejía pertinaz, negativa, diminuta, impeniten-
te, perjura o alumbrada. Además, donde no había iglesias luteranas ni sinagogas, la Inquisición se echaba a dormir la siesta. Podían los negros, a veces, tocar el tambor
ante figuras de madera que olían a pezuña del diablo. Pero
mientras con su pan se lo comieran, los frailes se enco-
gían de hombros. Lo que molestaba eran las herejías que
venían acompañadas de papeles, de escritos, de libros.
Así, después de agacharse bajo el agua bendita, los negros e indios volvían muchas veces a sus idolatrías, pero
hacían demasiada falta en las minas, en los repartimien-
tos, para que se les viera, al tenor del Cuarto Evangelio,
como el sarmiento seco que se amontona y arroja al fuego. De este modo, favoreciéndolo con la merced de su larga experiencia, el Indiano lo había recomendado a un
cordelero sevillano, cuya atarazana, repleta de catres y jer-
gones, era posada donde otros aguardaban, como él, permiso para embarcar en la Flota de la Nueva España, que
en mayo saldría de Sanlúcar con mucha gente divertida a
bordo de las naves. Con el nombre de Juan de Amberes
quedaba Juan asentado en los libros de la Casa de Contratación —pues no debía olvidarse que se le esperaba en
Flandes, luego de la promesa cumplida—, entre un Jor-
ge, negro esclavo del Obispo de Tarragona, y uno que demasiado insistía en no ser hijo de reconciliado, ni nieto
de quemado por herejía. En el mismo folio de asientos

desfilaban, a continuación, un pellejero de la Emperatriz, un mercader genovés llamado Jácome de Castellón, varios chantres, dos polvoristas, el Deán de Santa María del Darién con su paje Francisquillo, un algebrista maestro en pegar huesos rotos, clérigos, bachilleres, tres cristianos nuevos, y una Lucía de color de pera cocha. En eso del color, mejor hubiera sido no entrar en distingos, buscándose matices de pera cocida o no, porque Juan, en sus andanzas por el laberinto bético, se asombraba ante el gran portento de los humanos colores. Y no eran tan sólo los negros horros que esperaban el día de salir en las flotas, loros como brea o con el pellejo de berenjena; no eran tan sólo las morenas del paracumbé, guineas alcojoladas, mulatas de Zofalá, sino que se veían, en estas vísperas de salida, muchos indios que aguardaban el regreso a sus patrias en el séquito de prelados o capitanes, venidos a tratar negocios en la Corte. El solo Chantre Mayor de Guatemala, que embarcaría en la Flota, se traía tres criados, de color aceitunado, con las frentes ceñidas por tiras bordadas, y una manta de lana espesa, con los colores del arco iris, metida por la cabeza a modo de capisayo. Los tres llevaban cruces al cuello, pero sabe Dios de qué paganismo hablarían, en su idioma de respirar para dentro, que más sonaba a protesta de sordomudo que a lengua de cristiano. Había indios de la Española, yucatecos que llevaban calzones blancos, y otros, de cabeza redonda, bocas belfudas, y pelo espeso, cortado como a medida de cuenco, que eran de la Tierra Firme, y hasta aparecían en misa, algunas veces, los ocho mexicanos de la casa de Medina Sidonia, que habían tocado chirimías —y muy diestramente, por cierto— en las fiestas dadas para celebrar el encuentro de Doña María con el Príncipe Felipe, en Salamanca. Todo aquel mundo alborotoso y de plumas, donde no faltaban eunucos de Argel, y esclavas moras con las caras marcadas al hierro, ponían un estu-

pendo olor de aventuras en las narices de Juan de Amberes. Y luego, era la salmuera de los matalotajes, la brea
de los calafates, las sardinas salpresadas de las tabernas de
vino blanco, el dado echado a todas horas, y la endemo-
niada zarabanda que ya se bailaba en las casas del trato,
donde los marineros habían traído la costumbre de mas-
car una yerba parda, que les teñía la saliva de amarillo, y
ponía en sus barbas un fuerte olor a regaliz, a vinagre, a
especias, y a muchas cosas más que no acababan de oler
bien.

Y ya está Juan de Amberes en alta mar. No le dejan
pasar a México, porque el Consejo quiere gente para poblar comarcas empobrecidas por los saqueos de piratas
franceses, la falta de labradores, la mortandad de los indios en las minas. Juan recibió la nueva con pataleos y
blasfemias. Pensó luego que era castigo de Dios, por no
haber llegado hasta Compostela. Pero a punto apareció
el Indiano de la feria de Burgos en el albergue de viajeros, para decirle que una vez cruzado el Mar Océano, podría reírse de los oficiales del Consejo, pasando a donde
mejor le viniera en ganas, como hacían los más cazurros.
Y así, ya sin enojo, anda Juan redoblando el tambor en
la cubierta de su nave, para anunciar la carrera de cerdos
que se hará en el sollado, antes de que los animales cai-
gan bajo el cuchillo del cocinero, para ser salados. Que-
riéndose burlar el tedio de la calma chicha, y olvidar que
el agua de los barriles ya sabe a podrido, se corren co-
chinos, se corren becerros, mientras todavía están en pie,
en espera de otras diversiones. Habrá, luego, la batalla de
jeringas cargadas de agua de mar; el palo atado a la cola
del perro enfurecido; la busca, a ojos vendados, del gallo
apretado entre dos tablas, para zajarle la cabeza de un sa-
blazo; y cuando todo esto aburre y el dinero de los unos
ha pasado a ser de otros, diez veces, al juego de la quí-
nola o el rentoy, se desatan las fiebres, caen los de la in-

solación, hay quien deja los colmillos en una galleta ya
rumiada de ratones, pasa algún difunto por sobre la borda, pare mellizos la negra lora, vomitan éstos, se rascan
los otros, largan aquéllos las entrañas, y cuando ya parece que no se aguanta más, de pulgas, de liendres, de mu-
gre y hediondeces, grita el vigía, una mañana, que por fin
se divisa el morro del puerto de San Cristóbal de La Habana. Era tiempo de llegar: el ingrato camino para alcanzar la fortuna estaba cansando ya a Juan, a pesar de que
los peces voladores, vistos algunos días antes, le hubieran parecido un portento anunciador de Arpías Ameri-
canas y tierra de Jauja. Contento ahora, al mirar un cam-
panario esbelto sobre el hacinamiento de tejados y chozas de lo que debe ser la ciudad, agarra los palillos y
atruena el tambor con el compás de la marcha que llevaba su compañía, cuando entrara en Amberes a tomar
cuarteles de invierno, para hacer la guerra a los herejes,
enemigos de nuestra santa religión.

VI

Pero allí todo es chisme, insidias, comadreos, cartas
que van, cartas que vienen, odios mortales, envidias sin
cuento, entre ocho calles hediondas, llenas de fango en
todo tiempo, donde unos cerdos negros, sin pelo, se al-
borozan la trompa en montones de basura. Cada vez que
la Flota de la Nueva España viene de regreso, son encar-
gos a los patrones de las naves, encomiendas de escritos,
misivas, infundios y calumnias, para entregar, allá, a
quien mejor pueda perjudicar al vecino. En el calor que
envenena los humores, la humedad que todo lo pudre,
los zancudos, las nihuàs que ponen huevos bajo las uñas
de los pies, el despecho y la codicia de menudos benefi-
cios —que grandes, allí, no los hay— roen las almas.

Quien sabe escribir no usa la merced de escribir discursos de provecho, a la manera de los antiguos, alguna pastoral o invención de regocijo para el Corpus, sino que se las pasa mandando quejas al Rey, habladurías al Consejo, con la pluma mojada en tinta de hiel. Mientras el Gobernador trata de desacreditar a los Oficiales Reales en carta de ocho pliegos, el Obispo denuncia al Regidor por amancebado; el Veedor al Obispo, por usurpar cargos de Inquisidor, no conferidos por el Cardenal de Toledo; el Escribano Público acusa al Tesorero de no pagar cabalmente los diezmos; el Tesorero, amigo del Alcalde, acusa al Escribano de pícaro y trapacero. Y va la cadena, rompiendo siempre por lo más débil o lo más forastero. A éste se denuncia de haber comprado hierbas de buen querer a un negro brujo, a quien mandarán azotar en Cartagena de Indias; al Pregonero, porque dicen que cometió el nefando pecado; al Encomendero, por haber movido los linderos de un realengo; al Chantre, por lujurioso; al Artillero, por borracho; al Pertiguero por bujarrón. El Barbero de la villa —bizco que daña con el solo mirar cruzado— es la espernada de la cadena de infamias, afirmando que Doña Violante, la esposa del antiguo gobernador, es zorra vieja que tiene comercio deshonesto con sus esclavos. Y así se lleva, en este infierno de San Cristóbal, entre indios naboríes que apestan a manteca rancia y negros que huelen a garduña, la vida más perra que arrastrarse pueda en el reino de este mundo. ¡Ah! ¡Las Indias! ¡Las Indias...! Sólo se le alegra el ánimo a Juan de Amberes, cuando llega gente marinera, de México o de la Española. Entonces, durante días, recordando que fue soldado, roba a los carniceros un costillar que guisarán entre varios, en salsa de achiote o polvo de chile traído de la Veracruz, o ayuda a tumbar las puertas de las pescaderías, para cargar con las cestas de pargos y jicoteas. En esos meses, a falta de manjares más finos, Juan se ha

aficionado a las novedades del jitomate, la batata y la
tuna. Se llena las narices de tabaco, y en días de penurias
—que son los más— moja su cazabe en melado de caña,
metiendo luego la cara en la jícara para lamerla mejor. Y
cuando la tripulación de las flotas viene a tierra, se da a
bailar con las negras horras —de cara de Diablo para hacer tal oficio, donde tanto escasean las hembras—, que
tienen un corral de tablaje, con catres chinchosos, junto
a la dársena del carenero. Lo poco que gana tocando el
tambor cuando hay barco a la vista, encabezando alguna
procesión, o tratando de concertar a las zambas que tocan maracas en los Oficios de Calenda, se lo gasta en el
bodegón de un allegado del Gobernador, próximo a la
Casa del Pan, que suele recibir, de tarde en tarde, barri-
cas del peor morapio. Pero aquí no puede hablarse de
vino de Ciudad Real, ni de Ribadavia, ni de Cazalla. El
que le baja por el gaznate, esmerilándole la lengua, es
malo, agrio, y caro por añadidura, como todo lo que de
esta isla se trae. Se le pudren las ropas, se le enmohecen
las armas, le salen hongos a los documentos, y cuando alguna carroña es tirada en medio de la calle, unos buitres
negros, de cráneo pelado, le destrenzan las tripas como
cintas de Cruz de Mayo. Quien cae al agua de la bahía
es devorado por un pez gigante, ballena de Jonas, con la
boca entre el cuello y la panza, que allí llaman tiburón.
Hay arañas del tamaño de la rodela de una espada, culebras de ocho palmos, escorpiones, plagas sin cuento. En
fin, que cuando el tintazo avinagrado se le sube a la cabeza, Juan de Amberes maldice al hideputa de indiano
que le hiciera embarcar para esta tierra roñosa, cuyo es-
caso oro se ha ido, hace años, en las uñas de unos pocos.
De tanto lamentar su miseria, en un calor que le tiene el
cuerpo ardido y la piel como espolvoreada de arena roja,
se le inflaman los hipocondrios, se le torna pendenciero
el ánimo, a semejanza de los vecinos de la villa, cocina-

dos en su maldad, y una noche de tinto mal subido, arre-
mete contra Jácome de Castellón, el genovés, por fulle-
rías de dados, y le larga una cuchillada que lo tumba, bañado en sangre, sobre las ollas de una mondonguera. Cre-
yéndole muerto, asustado por la gritería de las negras que
salen de sus cuartos abrochándose las faldas, toma Juan
un caballo que encuentra arrendado a una reja de madera, y sale de la ciudad a todo galope, por el camino del
astillero, huyendo hacia donde se divisan, en días claros,
las formas azules de lomas cubiertas de palmeras. Más
allá debe haber monte cerrado, donde ocultarse de la justicia del Gobernador.

   Durante varios días cabalga Juan de Amberes el rocín
que pierde las herraduras en tierra cada vez más fragosa.
Ahora que se dejaron atrás los últimos campos de caña,
una cordillera va creciendo a su derecha, con cerros de
lomo redondeado, como grandes perros dormidos bajo
su lana de manigua. Siguiendo las orillas de un arroyo
que viene bajando a saltos, trayendo semillas y frutas podridas, con altas malangas en los remansos y pececillos
de ojos negros que tililan a contracorriente, el fugitivo va
subiendo hacia donde los árboles cargan flores moradas,
o se enferman, en la horquilla de un tronco, del tumor
de una comejenera hirviente de bichos. Hay matas que
parecen vestidas de cáscara de cebolla, y otras que cargan
los nidos de enormes ratas. Juan deja el caballo en el ama-
rradero de un tronco de ceibo, pues tendrá que trepar
ahora por grandes piedras para alcanzar el filo de la cordillera. Y ya baja hacia la otra vertiente, cuando clarea el
matorral, y se abre el mar a sus pies: un mar sin espuma,
cuyas olas mueren, con sordo embate, en las penumbras
de socavones habitados por un trueno de gravas rodadas.
Al atardecer está en una playa cubierta de almejas, donde
unas vejigas irisadas mueren al sol, entre cáscaras de ri-
zos, pomas leonadas y guamos grandes, de los que bra-

man como toros. Juan se hincha los pulmones de aire sa-
lobre, de brisa fresca que le llena los ojos de lágrimas, al
olerle a Sanlúcar el día de la partida, y también a su desván de Amberes, con la pescadería de abajo, cuando la-
dra un perro tras de los cocoteros, y ve el fugitivo, al vol-
verse, un hombre barbado que le apunta con un arcabuz:

¡Soy calvinista! —dice, en tono de reto.

¡Yo he matado! —responde Juan, para tratar de des-
cender, en lo posible, al nivel de quien acaba de confesar
el peor crimen. El barbado afloja el arma, lo contempla
durante un rato, y llama por un Golomón —negro de mejillas tasajeadas a cuchillo—, que cae de un árbol casi encima de Juan, y le baja el sombrero sobre la cara, con tal
fuerza que la cabeza se lo raja a media copa. Metido en
la noche del fieltro, lo hacen caminar.

VII

Seiscientos fueron los calvinistas degollados por el des-
madrado de Menéndez de Avilés en la Florida, cuenta el
barbado, enfurecido, golpeando la mesa con anchos puños, mientras Golomón, más lejos, afila el machete en
una piedra. De milagro escapó el hugonote, compañero
de René de Landonnière, con treinta hombres que luego
se dispersaron tratando de alcanzar la Española. Y el
hombre, entreverando la doctrina de la predestinación
con blasfemias para herir al cristiano, cuenta la degollina
con tales detalles de tajos altos y tajos bajos, de sables me-
llados que se paraban a medio cuello y terminaban aserrando —de hachazos que venían a caer en lo empinado
del espinazo sonando a trinchante de carnicero—, que
Juan de Amberes agacha la cabeza con una mueca de dis-
gusto, dando a entender que por honrar a Dios y a Jesucristo con menos latines, el castigo le parecía un poco su-

bido, y más aquí donde las víctimas, en verdad, en nada
molestaban. A uno, de un mandoblazo, le llevaron el
hombro izquierdo con la cabeza. «Otro empezó a gatear,
ya sin cabeza, con el pescuezo hecho un cuello de odre»
—cuenta el barbado, furibundo, queriendo hallar obje-
ción en el otro, para ordenar a Golomón que le tumbe,
de un machetazo, todo lo que se le alza por encima de la
nuez. Pero Juan de Amberes no aprueba ya por fingi-
miento. El, que ha visto enterrar mujeres vivas y quemar
centenares de luteranos en Flandes, y hasta ayudó a arri-
mar la leña al brasero y empujar las hembras protestan-
tes a la hoya, considera las cosas de distinta manera, en
ese atardecer que pudo ser el último de su vida, luego de
haber padecido la miseria de estos mundos donde el ara-
do es invento nuevo, novedad la talabartería, joyas la oli-
va y la uva, y donde el Santo Oficio, por cierto, mal se
cuida de las idolatrías de negros que no llaman a los Santos por sus nombres verdaderos, del ladino que todavía
canta areitos, ni de las mentiras de los frailes que llevan
las indias a sus chozas para adoctrinarlas de tal suerte que
a los nueve meses devuelven el Páter por la boca del Diablo. Que allá, en el Viejo Mundo, se pelee por teologías,
iluminaciones y encarnaciones, le parece muy bien. Que
mande el Duque de Alba a quemar al barbado, allá donde el hereje pretende alzar provincias contra el Rey Felipe, Campeón del Catolicismo, Demonio del Mediodía,
es acto de buena política. Pero aquí se está entre cima-
rrones. Es cimarrón él mismo, por la culpa que acarrea.
Cimarrón como el calvinista que ha compartido la cimarronada con un cristiano nuevo, tan nuevo que se olvidó
del bautismo, luego de haber tenido que escapar de
La Habana, al denunciar que el Obispo vendía por buenas, a la Parroquial Mayor, unas custodias enchapadas,
de lo peor, pidiendo su pago en oro del que se muerde.
Así, con el calvinista y el marrano, ha encontrado Juan

amparo contra la justicia del Gobernador, y calor de
hombres. Y calor de mujeres. Porque, en la cimarronada
que acaudillara Golomón, al escapar de una plantación
de cañas de azúcar, los perros agarraron a muchos esclavos que fueron rematados luego por los ranchadores. En-
tretanto, las mujeres, que iban delante, alcanzaron el
monte. Así, tiene ahora el tambor Juan de Amberes dos
negras para servirle y darle deleite, cuando el cuerpo se
lo pide. A la grandísima, de senos anchos, con la pasa sur-
cada por ocho rayas, ha llamado Doña Mandinga. A la
menuda, cuyas nalgas se sobrealzan como sillar de coro,
y apenas si tiene un pelo raro donde las cristianas lucen
tupido vellón, ha llamado Doña Yolofa. Como Doña
Mandinga y Doña Yolofa hablan idiomas distintos, no
discuten a la hora de ensartar los peces por las agallas en
el asador de una rama. Y así se va viviendo, en trabajos
de encecinar la carne del jabalí o del venado, guardando
bajo techo las mazorcas de los indios, en un tiempo detenido, de mañana igual a ayer, donde los árboles guar-
dan las hojas todo el año, y las horas se miden por el movimiento de las sombras. Al caer las tardes, una gran tristeza se apodera de los que viven en el palenque. Cada
cual parece recordar algo, añorar, echar de menos. Sólo
las negras cantan, en el humo de la leña que demora sobre el mar tranquila, como una neblina que oliera a cor-
tijo. Juan de Amberes se quita el sombrero, y, de cara a
las olas, dice el Padrenuestro y también el Credo, con
voz que le retumba a lo hondo del pecho, cuando afirma
que cree en el perdón de los pecados, la resurrección de
la carne y la vida perdurable. El calvinista, más lejos, mu-
sita algún versículo de la Biblia de Ginebra; el marrano,
de espaldas a las carnes desnudas de Doña Yolofa y Doña
Mandinga, dice un salmo de David, con inflexiones que
parecen de llanto contenido: «Clemente y misericordio-
so Jehová, lento para la ira y grande para el perdón...» Al-

zase la luna y los perros del palenque, sentados en la arena, aúllan en coro. El mar rueda sus gravas en los socavones de la costa. Y como el judío, después de los rezos, denuncia una trampa del calvinista en el juego de los naipes, se lían los tres a puñetazos, pegando, cayendo, abrazados en lucha, pidiendo cuchillos y sables que nos les traen, para reconciliarse luego, entre risas, sacudiendo la arena que les ha llenado las orejas. Como no tienen dinero, juegan conchas.

VIII

Pero, al cabo de meses que no se cuentan, Juan se enferma de languidez. Pueden abanicarlo con pencas, la Doña Yolofa y la Doña Mandinga, espantando las diminutas moscas que se alzan, en este tiempo, sobre los manglares cercanos; pueden traer buenos peces los indios, encandilándolos con teas en las cuevas de la costa. El Tambor de Amberes pasa largas horas sacando humo de tabaco de un hueso que para eso tiene, añorando los tiempos en que entraba en las ciudades, junto al abanderado, el trompeta y el pífano de boj, y a su paso se abrían las ventanas verdes, con adorno de corazones calados en la madera de los postigos, y sobre los alféizares florecidos asomábanse mujeres que parecían ofrecer el pecho sonrosado bajo el encaje de la camisola —que eso sí eran mujeres, las de Italia, de Castilla, de Flandes, y no esos pellejos de odres, con olor a chamusquina, tan duros que no podían pellizcarse, de las negras que aquí había que tomar como hembras. Con esas loras, lorísimas, no podía un antiguo colegial de Alcalá hablar de las mil cosas que había visto y aprendido en sus andanzas por el mundo, pues todo lo que sabían ellas era aporrear sus bárbaros tambores y cantar unas coplas tan extravagantes y re-

petidas que·cuando las empezaban, a manera de respon-
so, sacudiendo unas sonajas, y coreando lo que Golomón
guiaba a la comodidad de la garganta, Juan el Estudiante
se iba al monte con los perros, en muestra de su disgus-
to. Porque estudiante había sido Juan —según contaba al
barbado y al judío— en la clase donde se enseñaban las
artes del Cuadrivio, con el conocimiento de las cifras para
tañer la tecla, el harpa y la vihuela, el modo de hacer di-
ferencias, mudanzas y ensaladas, sin olvidar el conocimiento del canto llano y la práctica del órgano. Y como
no había tecla ni vihuela en aquella costa, Juan demos-
traba, de palabras y tarareos, cómo sabía hacer glosas a
una pavana o hermoseaba la tonada del *Conde Claro* o
el *Mírame cómo lloro*, con floreos y adornos a la manera
francesa o italiana, como ahora se acostumbraba en la
Corte. Con el cuadro de aquellos conocimientos había
crecido también la condición del fugitivo, que ahora resultaba ser el hijo de un escudero de los que en aquellos
tiempos llevaba su penuria con dignidad, por no desha-
cerse de una casa solariega, desde cuyo zaguán divisábase
—a la distancia de donde queda aquel árbol: y miraban
todos para allá— la fachada de la Imperial Universidad
de San Ildefonso, cuya vida estudiantil contaba el atam-
bor con detalles, sucedidos y ocurrencias, que cada día to-
maban mayores vuelos. Si alguna vez había sido soldado,
lo debía al compromiso de servir al Rey, observado por
todos sus antepasados, hasta donde las fechas se enredaban con las hazañas de Carlomagno. Así, dándose a en-
copetar el árbol genealógico, se aliviaba del hastío de comer tanta almeja, tanta tortuga mal adobada, tanta carne
ahumada en las parrillas del calvinista. Su paladar recla-
maba el vino con apremio casi doloroso, y cuando la
mente se le iba tras de bodegones imaginarios, se le pintaban mesas enormes, cubiertas de perdices, capones, gallipavos, manos de vitela, quesos de grandes ojos, fuentes

de escabechados, manjar blanco y miel de Alcarria. Pero
no era Juan el único alanguidecido en aquel palenque,
donde los negros y los indios, en cambio, librados de
mastines ranchadores, se hallaban muy a gusto, en una
constante paridera de mujeres y de perras. El judío soñaba con la Judería toledana, donde se vivía apaciblemen-
te, desde hacía muchos años, pudiendo cada cual regoci-
jarse en las bodas de mucha música, o escuchar a los sabios que leían los Tratados, sin que las persecuciones de
otros días llenaran las casas de lágrimas y de sangre. Cerrando los ojos, veía el marrano las estrechas calles donde los linterneros y cuchilleros tenían sus talleres, junto
a la pastelería de los hojaldres, con sus roscas de almendras y las toronjas alcorzadas. Los padres, conversos por
pura forma, seguían el mandato de enseñar a sus hijos algún oficio manual, además de hacerles estudiar la Tora,
y así, quien no hacía balanzas, como el primo Mossé, era
trabajador en coral y pintor de barajas, como Isaac Al-
fandari; platero famoso como el otro primo Manahén, o
Maestro de Llagas, como el pariente Rabí Yudah. Las ju-
días endecheras cantaban por dinero en los entierros de
cristianos, y en las oficinas y comercios sonaba siempre
la bella música sorda de las cuentas movidas en el ábaco.
Sueña el judío con la Judería, y el barbado sueña con París, de donde se dice oriundo, aunque la verdad es que
nació en un arrabal de Rouen, y sólo estuvo ocho días al
pie del Chatelet, siendo grumete de una barcaza leñera.
Pero le bastaron los ocho días para ver a los farsantes que
representaban comedias sobre un puente muy hermoso,
meditar acerca de la vanidad de todo al pie de las horcas
de Montfaucon, y catar el vino de las tabernas de la Mag-
dalena y de la Mula. Afirma que no hay nada como París, y reniega de estas tierras ruines, llenas de alimañas,
donde el hombre, engañado por gente embustera, viene
a pasar miserias sin cuento, buscando el oro donde no re-

luce, siquiera, una buena espiga de trigo. Y habla de hembras rubias, y de la sidra que bulle, y de la oca que suda
el zumo sobre un fuego de sarmientos, acabando de al-
terar los hipocondrios del tamborero, que increpa a Golomón por perezoso, ahora que le ha dado, de tanto oír,
por hablar confusamente de un linaje que el hierro can-
dente humilló en su carne. Todos fueron gente de condición, y el negro, que apenas si se acuerda, en cuanto a
su nación, de un río muy ancho y muy enturbiado de raudales, a cuya orilla había chozas con paredes de barro em-
bostado, habla de un mundo en que su padre, coronado
de plumas, paseaba en carrozas tiradas por caballos blancos, semejante a la que hacían rodar los de Medina Sidonia, por la Alameda de Sevilla, en días de fiesta. Todos
sueñan, malhumorados, entre cangrejos que hacen rodar
cocos secos, triscando las frutillas moradas de un árbol
playero, que medio saben a uva, y remozan apetencias de
vino en las bocas hastiadas de cazabe y chicha de maíz.
Todos piensan en cosas que poco tuvieron en realidad,
aunque las columbraron con apetito divino, hasta que re-
vientan las lluvias, alzando nuevas plagas. Juan se enfu-
rece, patalea, grita, al verse envuelto por tantas mosqui-
llas negras que zumban en sus oídos, pringándose con su
propia sangre al darse de manotazos en las mejillas. Y una
mañana despierta todo calofriado, con el rostro de cera,
y una brasa atravesada en el pecho. Doña Yolofa y Doña
Mandinga van por hierbas al monte —unas que se piden
a un Señor de los Bosques que debe ser otro engendro
diabólico de estas tierras sin ley ni fundamento—. Pero
no hay más remedio que aceptar tales tisanas, y mientras
se adormece, esperando el alivio, el enfermo tiene un sueño terrible: ante su hamaca se yergue, de pronto, con torres que alcanzan el cielo, la Catedral de Compostela. Tan
altas suben en su delirio que los campanarios se le pier-
den en las nubes, muy por encima de los buitres que se

dejan llevar del aire, sin mover las alas, y parecen cruces
negras que flotaran como siniestro augurio, en aguas del
firmamento. Por sobre el Pórtico de la Gloria, tendido
está el Camino de Santiago, aunque es mediodía, con tal
blancura que el Campo Estrellado parece mantel de la
mesa de los ángeles. Juan se ve a sí mismo, hecho otro
que él pudiera contemplar desde donde está, acercándose
a la santa basílica, solo, extrañamente solo, en ciudad de
peregrinos, vistiendo la esclavina de las conchas, afincan-
do el bordón en la piedra gris del andén. Pero cerradas
le están las puertas. Quiere entrar y no puede. Llama y
no le oyen. Juan Romero se prosterna, reza, gime, araña
la santa madera, se retuerce en el suelo como un exorci-
zado, implorando que le dejen entrar. «¡Santiago! —so-
lloza—. ¡Santiago!» Al atorarse de agua salada, se ve a la
orilla del mar y ruega que le dejen embarcar en una urca
fondeada donde sólo ven los demás un tronco podrido.
Tanto llora, que Golomón tiene que atarlo con unas lia-
nas, dentro de su hamaca, dejándolo como muerto. Y
cuando abre los ojos al atardecer, hay un gran alboroto
en el palenque. Una nave en derrota, desmantelada por
las Bermudas, ha venido a vararse en un cayo, frente a la
costa. Traídas por la brisa, se oyen las voces de los marineros pidiendo ayuda. Golomón y el barbado empujan
la canoa hasta el agua, mientras el marrano carga con los
remos.

IX

En aquel amanecer la sombra del Teide se ha pintado
en el cielo como una enorme montaña de niebla azul. El
barbado, que viaja como cristiano, dándoselas de borgoñón pasado a las Indias con licencia del Rey (y se ha com-
prometido a demostrarlo a la llegada), sabe que sus an-

danzas terminarán muy pronto. Como la Gran Canaria
tiene comercio con gentes de Inglaterra y de Flandes, y
más de un capitán calvinista o luterano descarga allí su
mercancía, sin que le pregunten si cree en la predestinación, ayuna en cuaresma o quiere bulas a buen precio,
sabe que le será fácil perderse en la ciudad, viendo luego
cómo escapar de la Isla y pasarse a Francia. Dirige a Juan
una mirada entendida, por no hablar de lo que saben ambos. Por lo pronto, hay ya el contento de haber vuelto a
encontrar, en la lenteja y el salpicón, el queso y la salmuera, sabores que se añoraban demasiado, allá en el palenque donde quedaron, más llorosas por despecho que
por duelo, la Doña Yolofa y la Doña Mandinga, que casi
se tenían por damas castellanas ante las otras negras, al
saberse las mancebas del hijo de algo tan grande como debía serlo un Escudero. El enfermo sintió la salud volver-
le al cuerpo, con sólo embarcar en la nave que terminaría
por echar las anclas en Sanlúcar, donde lo esperaban las
sandalias y el bordón del peregrino, que las promesas eran
promesas, y por no cumplir la suya le habían llovido las
malandanzas. Y ahora, tan cerca de pisar tierra de la buena y verdadera, después de largas semanas de mar, se siente alegre como recordaba haberlo estado, cierta tarde, luego de bañarse con el agua del Hospital de Bayona. Piensa, de pronto, que el haber estado allá, en las Indias, le
hace indiano. Así, cuando desembarque, será Juan el Indiano. Oye entonces un alboroto de marineros en el cas-
tillo de popa, y creyendo que se regocijan por la pronta
llegada, corre a verlos, seguido del barbado. Pero lo que
allí ocurre no es cosa de risa: los hombres rodean al cristiano nuevo, zarandeándolo a empellones. Uno lo tira al
suelo de una zancadilla, y levantándolo por la piel del co-
gote lo hace arrodillarse: «¡El Padrenuestro!» —le grita
en la cara. «¡El Padrenuestro y luego el Avemaría!» Y
Juan se entera de que los marineros espiaban al cristiano

nuevo desde hacía varios días, al saber, por boca del cocinero que, con la treta de servirle de marmitón, había robado alguna harina para hornearse un pan sin levadura.
Y hoy, que era sábado, lo habían visto bañarse temprano
y ponerse ropa limpia. «¡El Padrenuestro!», aúllan todos
ahora, dándole de puntapiés. El marrano, atolondrado,
gime súplicas que nadie escucha, y al recibir el latigazo
de una soga de nudos, empieza a murmurar algo que no
es Padrenuestro ni Avemaría, sino el Salmo de David que
recitaba en el palenque, tres veces al día: «Clemente y mi-
sericordioso Jehová, lento para la ira y grande para el perdón...» No termina de decirlo, cuando todos se le echan
encima, pateándolo, mientras uno corre por los grillos.
Y ya lo tienen aherrojado, escupiendo los dientes que le
desprendieron de un garrotazo, cuando se vuelven todos
hacia el barbado, a quien acosan de repente contra una
borda, llamándolo corsario luterano. El otro, haciendo
frente, protesta con tal firmeza, amenazando con elevar
una queja al Consejo, que el patrón, indeciso, acaba por
pedir sosiego. Por las dudas, decide que lo más cuerdo
es entregar al fingido borgoñón a la justicia de Las Palmas, la cual proveerá a poner en claro el caso de la tal licencia para pasar a las Indias. Lívido, el barbado se ve re-
machar un par de hierros en los tobillos, mientras se llevan al marrano, entre insultos, arrojándole baldes de agua
sucia a la cara. Va tan lastimado que deja un rastro de sangre por donde pasa. Mira Juan cómo lo tiran escala abajo, y cierran una escotilla sobre su última queja. Acaba
de saber que, después de haber sido isla de paz para moros y conversos, y de vista muy gorda para marinos y
mercaderes luteranos, la Gran Canaria se ha erigido en
atalaya mayor del Campeón del Catolicismo, represen-
tado por el ministerio de un tremebundo inquisidor que
ha plantado, en La Palma, la Cruz Verde del Santo Oficio, apresando tripulaciones enteras por sospechosas. Sus

calabozos están llenos de patrones holandeses, de capitanes anglicanos, prestos a ser entregados al Brazo Secular.
Golomón, agazapado al pie del trinquete, tiembla como
un afiebrado, temiendo que le pregunten por qué, cuando rezaba ante Nuestro Señor Jesucristo, en la hacienda
del amo cuya marca se le clarea en el pellejo, no llamaba
al Redentor por su nombre, sino que lo alababa en su lengua, luego de colgarse muchos abalorios al cuello. Juan
trata de aquietarlo, como a perro bueno, con palmadas
en los hombros, sin poderle decir —por temor a quien
pudiera oírlo— que en días de Tablado Mayor no gastaba leña la Inquisición en quemar negros, sino más bien
doctores demasiado conocedores del árabe, teólogos de
oreja puntiaguda, gente protestante, o difundidores de un
librejo hereje muy perseguido en los puertos donde an-
claban las naves holandesas, que tenía por título «Ala-
banza de la Locura», o «Elogio de los Locos», o algo semejante. Y como ya se acerca el día de la Trinidad, y la
Trinidad es fiesta buena para los autos, Juan el Indiano
ve ya al marrano de sambenito negro, mientras el barbado se le figura vistiendo uno amarillo, con la cruz de
San Andrés bordada en rojo, delante y detrás. Luego de
recibir la bendición al pie del Estandarte, montarían los
dos en sus burros, en medio de la gritería y el escarnio
de los que hubiesen venido de muy lejos para ganarse los
cuarenta días de indulgencia, y serán arreados hacia el
brasero, con otros muchos herejes, llevándose en alto los
retratos de quienes, por fugitivos, quedarían ardidos en
efigie.

X

Un día de feria, al cabo de una calle ciega, está Juan el
Indiano pregonando, a gritos, dos caimanes rellenos de

paja que da por traídos del Cuzco, cuando lo cierto es
que los compró a un prestamista de Toledo. Lleva un
mono en el hombro y un papagayo posado en la mano.
Sopla en un gran caracol rosado, y de una caja encarnada
sale Golomón, como Lucifer de auto sacramental, ofreciendo collares de perlas melladas, piedras para quitar el
dolor de cabeza, fajas de lana de vicuña, zarcillos de oropel, y otras buhonerías del Potosí. Al reír muestra el negro los dientes tallados en punta y las mejillas marcadas
a cuchillo, de tres incisiones, a usanza de su pueblo, y,
agarrando una sonaja, se entrega al baile, moviendo la
cintura con tal desencaje que hasta la vieja de los mondongos y las panzas se aparta de su tenducho arrimado
al Arco de Santa María, para venir a mirarle. Como en
Burgos se gusta ya de la zarabanda, el guineo y la cha-
cona, muchos lo celebran, pidiendo otra novedad del
Nuevo Mundo. Pero en eso empieza a llover, corre cada
cual a resguardarse bajo los aleros, y Juan el Indiano se
encuentra en la sala de un mesón, con un romero llamado Juan, que andaba por la feria, con su esclavina cosida
de conchas —venido de Flandes para cumplir un voto hecho a Santiago, en días de tremenda peste. Juan el Indiano, que desembarcó en Sanlúcar, llevando el bordón y la
calabaza de los peregrinos en cumplimiento de promesa,
largó el hábito en Ciudad Real, un día que Golomón, ar-
mándose de un mono y un papagayo para ayudarse a re-
vender baratijas de feriantes, le demostrara que pregonando novedades de Indias se ganaba lo suficiente, en dos
jornadas propicias, para holgarse con vino y mozas durante una semana. El negro se desvive por catar la carne
blanca que gusta de su buen rejo; el indiano, en cambio,
pierde el tino cuando le pasa una lora por delante, de las
que tienen la grupa sobrealzada como sillar de coro. Ahora, Golomón seca el mono con un pañuelo, mientras el
papagayo se dispone a echar un sueño, posado en el aro

de un tonel. Pide vino el indiano, y comienza a contar
embustes al romero llamado Juan. Habla de una fuente
de aguas milagrosas, donde los ancianos más encorvados
y tullidos no hacen sino entrar, y al salirles la cabeza del
agua se la ve cubierta de pelos lustrosos, las arrugas borradas, la salud devuelta, los huesos desentumecidos, y
unos arrestos como para empreñar una armada de Amazonas. Habla del ámbar de Florida, de las estatuas de gigantes vistas por Francisco Pizarro en Puerto Viejo, y de
las calaveras con dientes de tres dedos de gordo, que tenían una oreja sola, y ésa, en medio del colodrillo. Pero
Juan el Romero, achispado por el vino bebido, dice a Juan
el Indiano que tales portentos están ya muy rumiados por
la gente que viene de Indias, hasta el extremo de que nadie cree ya en ellos. En Fuentes de la Eterna Juventud no
confiaba nadie ya, como tampoco parecía fundamentarse
en verdades el romance de la Arpía Americana que los
ciegos vendían, por ahí, en pliego suelto. Lo que ahora
interesaba era la ciudad de Manoa, en el Reino de los
Omeguas, donde quedaba más oro por tomar que el que
las flotas traían de la Nueva España y del Perú. Las comarcas que se extendían entre la Bogotá de los ensalmos,
el Potosí —milagro mayor de la naturaleza— y las bocas
del Marañón, estaban colmadas de prodigios muchos mayores que los conocidos, con islas de perlas, tierras de
Jauja, y aquel Paraíso Terrenal que el Gran Almirante
afirmaba haber divisado en algún paraje —y todos le conocían ahora la carta escrita antaño al Rey Fernando—
con su monte en forma de teta. Se hablaba de un alemán,
muerto con el secreto de un reino donde las bacías de los
barberos, las cazuelas y peroles, el calce de las carrozas,
los candiles, eran de metal precioso. Seguían templándo-
se las cajas para salir a nuevas empresas... Pero aquí corta
Juan el Indiano el discurso de Juan el Romero, diciéndo-
le que las conquistas a lo Pizarro, yéndose en armada, no

eran ya lo que mejor aprovechaba. Lo que ahora pagaba
en las Indias era el olfato aguzado, la brújula del entendimiento, el saltar por sobre los demás, sin reparar mucho en ordenanza de Reales Cédulas, reconvenciones de
bachilleres, ni griterías de Obispos, allí donde la misma
Inquisición tenía la mano blanda, calentándose más jícaras de chocolates en los braseros, que carne de herejes...
Las cajas que acá se templaban no conducían a la rique-
za. Las cajas que debían escucharse eran las que sonaban
allá, pues eran las que llamaban a las nuevas entradas donde los hombres se hacían de haciendas portentosas, gue-
rreando menos que antes y llevando médicos de una pas-
mosa ciencia en lo de pegar huesos rotos y curar mordeduras de alimañas con las propias plantas de los indios.

XI

Al día siguiente, luego de haber regalado las veneras de
su esclavina a la moza con quien pasara la noche, toma
Juan el Romero el camino de Sevilla, olvidándose del Camino de Santiago. Le sigue Juan el Indiano, tosiendo y
garraspeando, pues se ha resfriado con el viento que baja
de las sierras. Cuando tirita en el camastro de una venta,
añora el calor que Doña Yolofa y Doña Mandinga llevaban dentro de la piel demasiado dura. Mira el cielo aneblado, rogando por el sol, pero le contesta la lluvia, cayendo sobre la meseta de piedras grises y piedras de azu-
fre, donde las merinas mojadas se apretujan en el verdor
de un ojo de agua, hundiendo las uñas en la greda. Golomón viene detrás, descalzo, con el mono y el papagayo
arrebozados en la capa, embistiendo, con el sombrero pa-
jizo, un aire que le hiela. En Valladolid los recibe el he-
dor de un brasero, donde queman la mujer de uno que
fue consejero del Emperador, en cuya casa se reunían lu-

teranos a oficiar. Acá todo huele a carne chamuscada, ar-
deduras de sambenito, parrilladas de herejes. De Holanda, de Francia, bajan los gritos de los emparedados, el
llanto de las enterradas vivas, el tumulto de las degolli-
nas, la acusación, en horribles vagidos, de los nonatos
atravesados por el hierro en la matriz de sus madres.
Unos dicen que empiezan tiempos nuevos, en la sangre
y en las lágrimas; otros claman que roto es el Sexto Se-
llo, y pondráse el sol negro como un saco de silicio, y
los reyes de la tierra, y los príncipes, y los ricos, y los
capitanes, y los fuertes, y todo siervo y todo libre, se es-
conderán en las cuevas y los montes. Pero, más allá de
Ciudad Real, algo cambia en las gentes. Poco hablan ya
de lo que ocurre en Flandes, viviendo con los oídos atentos a Sevilla, por donde llegan noticias de hijos ausentes,
del tío que mudó la herrería a Cartagena, del otro que tiene buena posada en Lima. Hay pueblos de donde han
marchado familias enteras; canteros con sus oficiales, hidalgos pobres con el caballo y los criados. Juan el Indiano y Juan el Romero aligeran el paso, al ver alzarse la primera huerta de naranjos, entre el morado de las berenje-
nas y el cobre de los melones, burelados por un campo
de sandías. Reaparecen las tabernas de vino blanco, las negras loras o de color de pera cocha, con las nalgas so-
brealzadas como sillar de coro. En brisas de salmuera, de
brea, de madera resinosa, ármase el alboroto de los puertos de embarque. Y cuando los Juanes llegan a la Casa de
la Contratación, tienen ambos —con el negro que carga
sus collares— tal facha de pícaros, que la Virgen de los
Mareantes frunce el ceño al verlos arrodillarse ante su al-
tar.

—Dejadlos, Señora —dice Santiago, hijo de Zebedeo y
Salomé, pensando en las cien ciudades nuevas que debe
a semejantes truhanes—. Dejadlos, que con ir allá me
cumplen.

Y como Belcebú siempre se pasa de listo, he aquí que
se disfraza de ciego, vistiendo andrajos, poniendo un gran
sombrero negro sobre sus cuernos, y, viendo que ha dejado de llover en Burgos, se sube a un banco, en un callejón de la feria, y canta, bordoneando en la vihuela con
sus larguísimas uñas:

> ¡Animo, pues, caballeros,
> Animo, pobres hidalgos,
> Miserables, buenas nuevas,
> Albricias, todo cuitado!
> ¡Que el que quiere partirse,
> A ver este nuevo pasmo,
> Diez naves salen juntas,
> De Sevilla este año...!

Arriba, es el Campo Estrellado, blanco de galaxias.

OTROS RELATOS

Oficio de tinieblas

I

El año cobraba un mal aspecto. Muy pocos se daban
cuenta de ello, pero la ciudad no era la misma. No estaba
demostrado que los objetos pintaran en los pisos un cabal equivalente en sombras. Más aún: las sombras tenían
una evidente propensión a quererse desprender de las cosas, como si las cosas tuvieran mala sombra. Una súbita
proliferación de musgos ennegrecía los tejados. Apremia-
das por una humedad nueva las columnas de los soportales se desconchaban en una noche. Los balaustres de
los balcones, en cambio, se llenaban de hendeduras y res-
quebrajos, al trabajar de rocío a sol, sacando clavos en-
mohecidos sobre las barandas descascaradas. Algo había
cambiado en la atmósfera. Las palomas de los patios se
balanceaban sin arrullos sobre sus patitas rosadas, como
con ganas de guardarse las alas en los bolsillos. El diapasón de la campana mayor de la catedral había bajado un

poco, como si aquellas inesperadas lluvias de enero la hubiesen hinchado, tomando el bronce por madera. Nunca hicieron tan largos viajes la carcoma y el comején. Los pregones se entonaban con falsetes de sochantre en oficio de difuntos. Nadie creía ya en el dulzor de frutos aguados y los aguinaldos dejaron pasar su tiempo sin treparse a los árboles. Nada que fuera blanco prosperaba. Los rasos para vestidos de novias se cubrían de hongos en el fondo de los armarios y las nubes esperaban la noche para irse a la mar, siguiendo las velas de una goleta destinada a morir en una ensenada solitaria.

Así andaban las cosas en Santiago, cuando se celebraron con pompas de cruces, pecheras y entorchados, los funerales del general Enna.

II

Con los barnices encendidos por el sol, el contrabajo iba calle arriba, camino de la catedral, en equilibrio sobre la cabeza del negro. A veces, Panchón alzaba el brazo derecho, alargando el índice hacia una cuerda áspera, que respondía con una nota grave. Hubo un tiempo en que faltaron en Santiago cuerdas de contrabajo. El ritmo del «Trípili» se marcó entonces con tiras de piel de chivo adelgazadas a filo de vidrio. Pero, desde aquellos días, «La Intrépida» había venido a menudo. Y la cuerda aquella, que sonaba en lo alto —pues Panchón era una especie de gigante tonto— era de buena tripa. De excelente tripa, alzada de tono por el calor. Por eso, la nota llenaba toda la calle, sacando rostros a las ventanas y haciendo parar las orejas a las mulas de recuas carboneras.

Panchón llegó a la sacristía. Sesgó el contrabajo para entrarlo por la puerta estrecha. Ya lo esperaba un músico impaciente, dando resina a las crines del arco. Un índice

docto interrogó las cuatro cuerdas, con un rechinar de
clavijas en lo alto del mástil. Panchón, curioso, siguió al
contrabajo que se alejaba a saltos sobre su única pata.
Olía a incienso. La nave estaba llena de autoridades y abanicos de encaje. En la penumbra creada por las colgadu-
ras de luto, las solapas de seda negra se vestían de reflejos plomizos. Cuando el sacerdote se acercó al catafalco,
la orquesta entera comenzó a cantar. Colándose por un
ventanal alto, un rayo de sol se detuvo en el cobre de las
trompas. Con gestos de bastoneros, los fagotes acercaron
las cañas a las bocas. Rodó un largo trémulo en los timbales. Los bajos atacaron, al unísono, una letanía con inflexiones de Dies Irae. De pronto sonaron todos los sables. En un vasto aleteo de rasos, las mantillas cayeron
hacia adelante.

Panchón salió de la catedral. Aquellos funerales suntuarios eran cosa distante y ajena. Además, estaba impaciente por beberse los dos reales de vellón que acababa
de ganar. Tal vez por ello, no observó que su sombra se
había quedado atrás, en la nave, pintada sobre la baldosa
en que se leía: Polvo, Cenizas, Nada. Ahí estuvo largo
rato, hasta que terminó la ceremonia y la envolvieron las
chisteras. Entonces atravesó la plaza y entró en la bode-
ga donde Panchón, ya borracho, vio reaparecer su sombra sin sorpresa. Se acostó a sus pies como un podenco.
Era sombra de negro. La sumisión le era habitual.

III

A nadie agradaba «La Sombra» del Agüero. A nadie,
porque era una danza triste, mala de bailar, que ponía notas de melancolía en los mejores saraos.

Pero, hete ahí que todos la cogen, de pronto, con «La
Sombra». Tal parecía que la banda de los charoles no su-

piera tocar otra cosa. Lo mismo ocurría con la banda de
la milicia de pardos. En las retretas, en los desfiles, se escuchaba siempre la misma melodía quejosa, girando en
redondo como el caballo viejo del tiovivo. Esta repetición transformaba «La Sombra» en su sombra, pues tal
era el tedioso hábito de tocarla, que su compás se alarga-
ba, renqueante, acabando por tener un no sé qué de marcha fúnebre. Pero ahora, la enfermedad alcanzaba los pianos. Bajo los dedos de las señoritas, las teclas amarillas
llenaban de sombras las cajas de resonancia. Hubo quien
se matriculó en una academia de música, sin más propósito que el de llegar a tocar «La Sombra». Viejas espine-
tas olvidadas en los desvanes, claves de pluma y fortepia-
nos baldados cantaban con voces minúsculamente metálicas, patía, el contagio de la maldita danza. Aun cuando
nadie se acercara a ellos, los instrumentos rezagados cantaban con voces minúsculamente metálicas, uniendo las
vibraciones de sus cuerdas a las de cuerdas afines. También los vasos, en los armarios, cantaron «La Sombra»;
también los peines de los relojes de música; también los
tremulantes y salicionales de los órganos.

El parque se había llenado de una gran tristeza. Los cu-
rrutacos y las doncellas paseaban, cada vez más despacio,
sin tener ganas de hablarse. Los oficleides y bombardi-
nos escandían, con voces de profundis, aquella sombra
que coreaban doscientos pianos de caja negra, en todos
los barrios de la ciudad. Hubo un sinsonte que se apren-
dió «La Sombra» de cabo a rabo. Pero lo hallaron muerto, de un atorón de cundiamores, cuando su amo —el pe-
luquero Higinio— se disponía a enviarlo a Doña Isabel II, como muestra de las maravillas que aún se daban
en esta tierra.

IV

Llegó la época de las máscaras. Fueron aquéllos unos carnavales tristes, de niños disfrazados, solos en calles desiertas; de comparsas dispersas por un aguacero: de antifaces que ocultaban caras largas; de dominós del Santo Oficio. Las doncellas que fueron a los bailes no hallaron novios. Las orquestas tocaban con desgano. Los músicos de la banda tenían gestos de figuras de teatro mecánico. Los matasuegras eran de mal papel y las cornetas de cartón arrojaban voces de pavo real. Ablandadas por un sudor malo, las caretas dejaban en los labios un sabor a cola de pescado. Los confetis no habían llegado a tiempo y, en las tiendas, las narices postizas se cansaban de esperar. Un niño, disfrazado de ángel, se halló tan feo al verse en un espejo que se echó a llorar.

Así andaban las cosas, cuando un tal Burgos, que tocaba el redoblante en las orquestas, recorrió las calles del barrio de La Chácara, dando grandes voces para pedir a los vecinos que formaran un escuadrón. En la esquina de la Cruz se reunieron los voluntarios. Panchón fue el primero en llegar, trayendo su sombra. Luego aparecieron la Isidra Mineto, La Lechuza, La Yuquita y Juana la Ronca. Tres botijas abrieron la marcha. Había que cantar algo que no fuera la «La Sombra». Súbitamente una copla voló por sobre los tejados:

> ay, ay, ay, ¿quién me va a llorar?
> ¡Ahí va, ahí va, ahí va la Lola, ahí va!

El escuadrón de Burgos fue subiendo hacia el centro de la ciudad. Nuevos cantadores lo engrosaban en cada bocacalle. El Regidor del Consejo, el Síndico de Cofradías, los oficiales de milicias, el celador, varios miembros de la Sociedad Económica de Amigos del País, y hasta el obispo de Santiago, salieron a los balcones para ver pasar el cortejo. Sin poderlo remediar, el maestro de música de la catedral marcó el compás con el pie derecho. Al caer la noche se encendió una enorme farola, que podía divisarse desde los altos de Puerto Boniato. La farola se bamboleaba a la orilla de los tejados, haciendo alto en las tabernas. Luego partía, otra vez, girando sobre sí misma, como el sol matemático de la Máquina Périca, que tanto se usara, cuarenta años atrás, en funciones de ópera de gran espectáculo.

En pocos días los escuadrones proliferaron, multiplicándose de modo inexplicable. Cuando llegó el Santiago más de diez comparsas recorrían la ciudad, al ritmo de la canción que había matado a «La Sombra»:

ay, ay, ay, ¿quién me va a llorar?
¡Ahí va, ahí va, ahí va la Lola, ahí va!

V

El 19 de agosto, después del Rosario y de una colación de fiambre, hubo gran animación en los soportales del teatro. El poeta y el músico, de corbatas listadas, bien cerradas las levitas al remate de las solapas, recibían en terreno propio. Llegaban doncellas vestidas de encajes y olores, acompañadas de madres que, al quitar el pie del estribo, lanzaban el coche sobre los muelles de la otra banda. Con gran aparato de látigos, de troncos impacientes, de herraduras azuladas por chispas de chinas pelonas, la sociedad de Santiago concurría al ensayo. En cuadernos de colegialas traían sus réplicas las actrices de un día, copiadas con la letra característica de las alumnas de monjas. La joven que habría de interpretar el papel principal de *La entrada en el gran mundo* se adueñó del camerín en que se habían desnudado tantas tonadilleras famosas, émulas de Isabel Gamborino, amantes de hacendados y esposas de actores. Aún quedaban arreboles de color subido en un plato de porcelana blanca y una colada de mastic en el fondo de un pocillo. En una pared se ostentaba una rotunda interjección de arrieros, trazada con carmín de labios. El canapé de seda canario tenía honduras de las que no se cavan con el peso de un solo cuerpo.

El apuntador se deslizó en la concha. Se dio comienzo al ensayo de *La entrada en el gran mundo*, que habría de representarse, al día siguiente, a beneficio de los Hospitales. Se estaba en agosto, y sin embargo hacía frío. Nadie pudo observar, por la obscuridad en que estaba sumida la platea, que las arañas se mecían de modo extraño, con vaivén de péndulos desacompasados.

VI

El 20 de agosto, cuando apenas se entonaba el Agnus Dei de la misa de diez, las dos torres de la catedral se unieron en ángulo recto, arrojando las campanas sobre la cruz del ábside. En un segundo se contrariaron todas las perspectivas de la ciudad. Los aleros se embestían en medio de las calles. Tomando rumbos diversos, las paredes de las casas dejaban los tejados suspendidos en el aire, antes de estrellarlos con un tremendo molinete de vigas rotas. Las mulas rodaban por las calles empinadas, envueltas en nubes de carbón, con un casco cogido debajo de la cincha y la gurupela azotándoles la crin. Las rosas del parque alzaron el vuelo, cayendo en zanjas y arroyos que habían extraviado el cauce. Y luego, aquella inestabilidad de la tierra, aquel temblor de anca exasperada por una avispa, aquel desajuste de las aceras, aquel cerrarse de lo abierto y abrirse de lo cerrado. Aun corriendo, dando gritos, llamando a la Virgen del Cobre, se advertía que una calle no tenía ya más salida que una alcoba de doncella o un archivo de notaría. A la tercera sacudida, los muebles también entraron en la danza. Pasando por encima de los barandales, los armarios se dieron a la fuga, largando por los vientres abiertos sus entrañas de sábana y mantel. Todas las vajillas explotaron a un tiempo. Los cristales se encajaron en las persianas. Anchas grietas, llenas de peines, camafeos, almanaques y daguerrotipos, dividían la ciudad en islas, ya que el agua de los aljibes, rotos los brocales, corría hacia el puerto.

Cuando la sangre comenzó a ensancharse en las telas, rasos y fieltros, todo había terminado. Un reloj de bolsillo, colgando aún de su leontina, marcó un adelanto de un minuto corto sobre los relojes muertos. Fue entonces cuando los hombres, al verse todavía en pie, comprendieron que habían conocido un terremoto. Las moscas, salidas de no se sabía dónde, volaron a ras del suelo, más numerosas.

VII

Las sombras se habían cansado de multiplicar las advertencias. Muchas se disponían, ahora, a abandonar la ciudad. Al mes de pasado el terremoto, varios transeúntes corrieron hacia la fuente destruida. Una mujer, perfectamente desconocida —probablemente una forastera—, había caído al pie de la estatua de Neptuno, con los brazos y las piernas en aspa. El delfín seguía vomitando un agua turbia, que regaba plantas indeseables, nacidas al amparo de los lutos. El caso se repitió varias veces durante el día, en distintos barrios de la ciudad. De pronto, alguien se desplomaba en una esquina, con el rostro amo-

ratado y la córnea azulosa. Faltaron panaderos a la hora
de hornear y muchos caballos volvieron solos a las casas,
trayendo un siniestro compás en las herraduras.

El baile anunciado se dio a pesar de todo. El Regidor
estimaba que no era oportuno añadir nuevas inquietudes
a las muchas que ya habían ensombrecido el día. Tratá-
base, además, de reunir nuevamente a los intérpretes de
La entrada en el gran mundo, para reorganizar la sus-
pendida función a beneficio de los Hospitales. Todo había comenzado muy bien. Pero, al bailarse la segunda
contradanza, una pareja rodó sobre los mármoles del
piso. El contrabajista cayó fuera del estrado, con el arco
cubierto de espuma, llevándose las cuerdas atadas a un
pie. Una mano insegura, al agarrarse de una borla, pro-
movió un derrumbe de terciopelo sobre los jarrones chinos que adornaban la consola del gran salón.

A pesar de que el director siguiera marcando el compás de «La Sombra», los músicos enfundaron sus instrumentos, y, apagando las velas colocadas en el borde de
los atriles, se escurrieron hacia las puertas de servicio.
Mientras los pomos de sales iban y venían por las escaleras de anchos barandales, los invitados llamaban a sus
cocheros con voces alteradas. Aquella noche fueron muchos los que abandonaron la ciudad para refugiarse en
los cafetales más cercanos. Pero el terciopelo de los asientos estaba lleno de un calor malo. En el cielo viajaba una
luna verdosa, imprecisa, como desdibujada por un traje
de yedra.

VIII

Pronto los intérpretes de *La entrada en el gran mundo*
entraron, realmente en el Gran Mundo. Los hospitales se
instalaban en medio de los parques, y era frecuente que

un agonizante se quejara de haber sido incomodado, durante la noche, por el rápido crecimiento de un rosal. Tan numerosos eran los cadáveres que para llevarlos al cementerio de Santa Ana se utilizó el carro de un baratillero canario. A su paso se hizo un hábito decir, en son de desafío:

¡Ahí va, ahí va, ahí va la Lola, ahí va!

El cólera no había disminuido la sed de Panchón. Y hete ahí que en vez de contrabajos, comienza a llevar cadáveres en equilibrio sobre su cabeza. Por hábito buscaba la cuerda, sin hallar más que un borborigmo. Pero las sombras de otros, atravesadas en lo alto, le preocupaban poco. Iban por el aire, dibujando escorzos nuevos al doblar de cada esquina. Sus pocos estudios le habían dotado del poder de descifrar ciertos letreros. Los identificaba por el color de la tinta de imprenta o la disposición de los caracteres. Cuando se tropezaba con un cartel de *La entrada en el gran mundo* saludaba con el cadáver. Había, sin duda, una misteriosa, pero segura relación entre esto y aquello.

Panchón comenzó a sentirse menos tranquilo cuando «La Lechuza» y Juana la Ronca cayeron a su vez. Ese día cargó con los cuerpos, tratando de hacer más corto el camino. Pero los girasoles que ahora levantaban las cabezas sobre las tapias del cementerio acabaron por hacerle pensar que su vida era hermosa. Poco a poco, una canción se fue ajustando a su paso:

Y a mí ¿quién me va a llorar?
¡Ahí va, ahí va, ahí va la Lola, ahí va!

A mediados de octubre, la Isidra Mineto, la Yuquita, Burgos y todos los del Escuadrón yacían, revueltos, en la fosa común. Eran menos sombras en las calles de Santiago.

IX

Una mañana todo cambió en la ciudad. Hubo juegos de niños en los patios. «La Intrépida» entró en el puerto con las velas abiertas. De los baúles salieron vestimentas blancas y el aire se hizo más ligero. Las campanas espantaron las últimas auras que aguardaban en las esquinas y los caracoles tornaron a cantar.

El 20 de diciembre fue el Te Deum en la catedral. El organista estaba entregado a la improvisación cuando, de pronto, se volvió sobresaltado hacia la plaza. Ahí estaba «La Lola» chirriando por todos los ejes. Panchón yacía detrás del cochero, con los pies hinchados, de bruces sobre un haz de espartillo. Poco a poco, el gradual cambio de figura. Algunos advirtieron que los bajos no acompañaban cabalmente la frase litúrgica. En el juego de pedales se insinuaba, aunque en tiempo lento, el tema de: *Ahí va, ahí va, ahí va la Lola, ahí va.* Pero el oficiante, que era un poco sordo, no reconoció la copla. Creyó que las manos del organista se habían confundido, enunciando los villancicos que ya debían de ensayarse, en vista de la proximidad de las Pascuas.

Los fugitivos

I

El rastro moría al pie de un árbol. Cierto era que había
un fuerte olor a negro en el aire, cada vez que la brisa le-
vantaba las moscas que trabajaban en oquedades de frutas podridas. Pero el perro —nunca lo habían llamado
sino Perro— estaba cansado. Se revolcó entre las yerbas
para desrizarse el lomo y aflojar los músculos. Muy lejos, los gritos de los de la cuadrilla se perdían en el atardecer. Seguía oliendo a negro. Tal vez el cimarrón estaba
escondido arriba, en alguna parte, a horcajadas sobre una
rama, escuchando con los ojos. Sin embargo, Perro no
pensaba ya en la batida. Había otro olor ahí, en la tierra
vestida de bejuqueras que un próximo roce borraría tal
vez para siempre. Olor a hembra. Olor que Perro se pren-
día del lomo, retorciéndose patas arriba, riendo por el
colmillo, para llevarlo encima y poder alargar una lengua
demasiado corta hacia el hueco que separaba sus omópla-
tos.

Las sombras se hacían más húmedas. Perro se volteó, cayendo sobre sus patas. Las campanas del ingenio, volando despacio, le enderezaron las orejas. En el valle, la neblina y el humo eran una misma inmovilidad azulosa sobre la que flotaban, cada vez más siluetas, una chimenea de ladrillos, un techo de grandes aleros, la torre de la iglesia y luces que parecían encenderse en el fondo de un lago. Perro tenía hambre. Pero hacia allá olía a hembra. A veces lo envolvía aún el olor a negro. Pero el olor de su propio celo, llamado por el olor de otro celo, se imponía a todo lo demás. Las patas traseras de Perro se espigaron, haciéndole alargar el cuello. Su vientre se hundía, al pie del costillar, en el ritmo de un jadear corto y ansioso. Las frutas, demasiado llenas de sol, caían aquí y allá con un ruido mojado, esparciendo, a ras del suelo, efluvios de pulpas tibias.

Pero echó a correr hacia el monte, con la cola gacha, como perseguido por la tralla del mayoral, contrariando su propio sentido de la orientación. Perro olía a hembra. Su hocico seguía una estela sinuosa que a veces se volvía sobre sí misma, abandonaba el sendero, se intensificaba en las espinas de un aromo, se perdía en las hojas demasiado agriadas por la fermentación, y renacía, con inesperada fuerza, sobre un poco de tierra recién barrida por una cola. De pronto, Perro se desvió de la pista invisible, del hilo que se torcía y destorcía, para arrojarse sobre un hurón. Con dos sacudidas que sonaron a castañuela en un guante, le quebró la columna vertebral, arrojándolo contra un tronco. Perro se detuvo de súbito, dejando una pata en suspenso. Unos ladridos, muy lejanos, descendían de la montaña.

No eran los de la jauría del ingenio. El acento era distinto, mucho más áspero y desgarrado, salido del fondo del gaznate, enronquecido por fauces potentes. En alguna parte se libraba una batalla de machos que no llevaban, como Perro, un collar de púas de cobre con una placa numerada. Ante esas voces desconocidas, mucho más alobonadas que todo lo que hasta entonces había oído, Perro tuvo miedo. Echó a correr en sentido inverso, hasta que las plantas se pintaron de luna. Ya no olía a hembra. Olía a negro. Y ahí estaba el negro, en efecto, con un calzón rayado, boca abajo, dormido. Perro estuvo por arrojarse sobre él siguiendo una consigna lanzada de madrugada, en medio de un gran revuelo de látigos, allá donde había calderos y literas de paja. Pero arriba, no se sabía dónde, proseguía la pelea de machos. Al lado del cimarrón quedaban huesos de costillas roídas. Perro se acercó lentamente, con las orejas desconfiadas, decidido a arrebatar a las hormigas algún sabor a carne. Además, aquellos otros perros de un ladrar tan feroz, lo asustaban. Más valía permanecer, por ahora, al lado del hombre. Y escuchar. El viento del sur, sin embargo, acabó por llevarse la amenaza. Perro dio tres vueltas sobre sí mismo y se ovilló, rendido. Sus patas corrieron un sueño malo. Al alba, Cimarrón le echó un brazo por encima, con gesto de quien ha dormido mucho con mujeres. Perro se arrimó a su pecho, buscando calor. Ambos seguían en plena fuga, con los nervios estremecidos por una misma pesadilla.

Una araña, que había descendido para ver mejor, recogió el hilo y se perdió en la copa del almendro, cuyas hojas comenzaban a salir de la noche.

II

Por hábito, Cimarrón y Perro se despertaron cuando sonó la campana del ingenio. La revelación de que habían dormido juntos, cuerpo con cuerpo, los enderezó de un salto. Después de adosarse a dos troncos, se miraron largamente. Perro ofreciéndose a tomar dueño. El negro ansioso de recuperar alguna amistad. El valle se desperezaba. A la apremiante espadaña, destinada a los esclavos, respondía ahora, más lento, el bordón armoriado de la capilla, cuyo verdín se mecía de sombra a sol sobre un fondo de mugidos y relinchos, como indulgente aviso a los que dormían en altos lechos de caoba. Los gallos rondaban a las gallinas para cubrirlas temprano, en espera de que el meñique de la mayorala se cerciorase de la presencia de huevos aún sin poner. Un pavo real hacía la rueda sobre la casa-vivienda, encendiéndose, con un grito, en cada vuelta y revuelta. Los caballos del trapiche iniciaban su largo viaje en redondo. Los esclavos oraban frente a cazuelas llenas de pan con guarapo. Cimarrón se abrió la bragueta, dejando un reguero de espuma entre las raíces de una ceiba. Perro alzó la pata sobre un guayabo tierno. Ya asomaban machetazos en los cortes de caña. Los dogos de la jauría cazadora de negros sacudían sus cadenas, impacientes por ser sacados al batey.

—¿Te vas conmigo? —preguntó Cimarrón.

Perro lo siguió dócilmente. Allá abajo había demasiados látigos, demasiadas cadenas, para quienes regresaban arrepentidos. Ya no olía a hembra. Pero tampoco olía a negro. Ahora, Perro estaba mucho más atento al olor a blanco, olor a peligro. Porque el mayoral olía a blanco, a pesar del almidón planchado de sus guayaberas y del betún acre de sus polainas de piel de cerdo. Era el mismo olor de las señoritas de la casa, a pesar del perfume que despedían sus encajes. El olor del cura, a pesar del tufo de cera derretida y de incienso, que hacía tan desagradable la sombra, tan fresca, sin embargo, de la capilla. El mismo que llevaba el organista encima, a pesar de que los fuelles del armonio le hubiesen echado encima tantas y tantos soplos de fieltro apolillado. Había que huir ahora del olor a blanco. Perro había cambiado de bando.

III

En los primeros días, Perro y Cimarrón echaron de
menos la seguridad del condumio. Perro recordaba los
huesos, vaciados por cubos, en el batey, al caer la tarde.
Cimarrón añoraba el congrí, traído en cubos a los barracones después del toque de oración o cuando se guardaban los tambores del domingo. Por ello, después de dormir demasiado en las mañanas sin campanas ni patadas,
se habituaron a ponerse a la caza desde el alba. Perro ol-
fateaba una jutía oculta entre las hojas de un cedro; Cimarrón la tumbaba a pedradas. El día en que se daba con
el rastro de un cochino jíbaro, había para horas y horas,
hasta que la bestia, desgarradas las orejas, aturdida por
tantos ladridos, pero acometiendo aún, era acorralada al
pie de una peña y derribada a garrotazos. Poco a poco,
Perro y Cimarrón olvidaron los tiempos en que habían
comido con regularidad. Se devoraba lo que se agarraba,
de una vez, engullendo lo más posible, a sabiendas de que
mañana podría llover y que el agua de arriba correría entre las piedras para alfombrar mejor el fondo del valle.
Por suerte, Perro sabía comer frutas. Cuando Cimarrón
daba con un árbol de mango o de mamey, Perro también
se pintaba el hocico de amarillo o de rojo. Además, como
siempre había sido huevero, se desquitaba, con algún nido
de codorniz, de la incomprensible afición del amo por
los langostinos que dormían a contracorriente, a la salida
del río subterráneo que se alumbraba de una boca de caracoles petrificados.

Vivían en una caverna, bien oculta por una cortina de
helechos arborescentes. Las estalactitas lloraban isócro-
namente, llenando las sombras frías de un ruido de relojes. Un día, Perro comenzó a escarbar al pie de una de
las paredes. Pronto sus dientes sacaron un fémur y unas
costillas, tan antiguas que ya no tenían sabor, rompién-

dose sobre la lengua con desabrimiento de polvo amasado. Luego, llevó a Cimarrón, que se tallaba un cinto de piel de majá, un cráneo humano. A pesar de que quedasen en el hoyo unos restos de alfarería y unos rascadores de piedra que hubieran podido aprovecharse, Cimarrón, aterrorizado por la presencia de muertos en su casa, abandonó la caverna esa misma tarde, mascullando oraciones, sin pensar en la lluvia. Ambos durmieron entre raíces y semillas, envueltos en un mismo olor a perro mojado. Al amanecer buscaron una cueva de techo más bajo, donde el hombre tuvo que entrar en cuatro patas. Allí, al menos, no había huesos de aquellos que para nada servían, y sólo podían traer ñeques y apariciones de cosas malas.

Al no haber sabido de batidas en mucho tiempo, ambos empezaron a aventurarse hacia el camino. A veces, pasaba un carretero conocido, una beata vestida con el hábito de Nazareno, o un punteador de guitarra, de esos que conocen el patrón de cada pueblo, a quienes contemplaban de lejos, en silencio. Era indudable que Cimarrón esperaba algo. Solía permanecer varias horas, de bruces, entre las hierbas de Guinea, mirando ese camino poco transitado, que una rana-toro podía medir de un gran salto. Perro se distraía en esas esperas dispersando enjambres de mariposas blancas, o intentando, a brincos, la imposible caza de un zunzún vestido de lentejuelas.

Un día que Cimarrón esperaba así algo que no llegaba, un cascabeleo de cascos lo levantó sobre las muñecas. Una volanta venía a todo trote, tirada por la jaca torda del ingenio. De pie sobre las varas, el calesero Gregorio hacía restallar el cuero, mientras el párroco agitaba la campanilla del viático a sus espaldas. Hacía tanto tiempo que Perro no se divertía en correr más pronto que los caballos, que se olvidó al punto de la discreción a que estaba obligado. Bajó la cuesta a las cuatro patas, espigado, azul bajo el sol, alcanzó el coche y se dio a ladrar por los corvejones de la jaca, a la derecha, a la izquierda, delante, pasando y volviendo a pasar, enseñando los dientes al calesero y al sacerdote. La jaca se abrió a galopar por lo alto, sacudiendo las anteojeras y tirando del bocado. De pronto, quebró una vara, arrancando el tiro. Luego de espaventarse como peleles, el párroco y el calesero se fueron de cabeza contra el puentecillo de piedra. El polvo se tiñó de sangre.

Cimarrón llegó corriendo. Blandía un bejuco para azotar a Perro, que ya se arrastraba pidiendo perdón. Pero el negro detuvo el gesto, sorprendido por la idea de que no todo era malo en aquel percance. Se apoderó de la estola y de las ropas del cura, de la chaqueta y de las botas del calesero. En bolsillos y bolsillos había casi cinco duros. Además, la campanilla de plata. Los ladrones regresaron al monte. Aquella noche, arropado en la sotana, Cimarrón se dio a soñar con placeres olvidados. Recordó los quinqués, llenos de insectos muertos, que tan tarde ardían en las últimas casas del pueblo, allí donde, por dos veces, lo habían dejado pedir el aguinaldo de Reyes y gastárselo como mejor le pareciera. El negro, desde luego, había optado por las mujeres.

IV

La primavera los agarró a los dos, al amanecer. Perro despertó con una tirantez insoportable entre las patas traseras y una mala expresión en los ojos. Jadeaba sin tener calor, alargando entre los colmillos una lengua que tenía filosas blanduras de lapa. Cimarrón hablaba solo. Ambos estaban de pésimo genio. Sin pensar en la caza, fueron temprano hacia el camino. Perro corría desordenadamente, buscando en vano un olor rastreable. Mataba insectos que siempre lo habían asqueado, por el placer de destruir, desgranaba espigas entre sus dientes, arrancaba arbustos tiernos. Acabó de exasperarse cuando un sapo le escupió los ojos. Cimarrón esperaba, como nunca había esperado.

Pero aquel día nadie pasó por el camino. Al caer la noche, cuando los primeros murciélagos volaron como pedradas sobre el campo, Cimarrón echó a andar lentamente hacia el caserío del ingenio. Perro lo siguió, desafiando la misma tralla y las mismas cadenas. Se fueron acercando a los barracones por el cauce de la cañada. Ya se percibía un olor, antaño familiar, de leña quemada, de lejía de melaza, de limaduras de cascos de caballo. Debían estarse haciendo las pastas de guayaba, ya que un interminable dulzor de mermeladas era esparcido por el terral. Perro y Cimarrón seguían acercándose, lado a lado, la cabeza del hombre a la altura de la cabeza del perro.

De pronto, una negra de la dotación atravesó el sendero de la herrería. Cimarrón se arrojó sobre ella, derribándola entre las albahacas. Una ancha mano ahogó los gritos. Perro avanzó, ya solo, hasta el lindero del batey. La perra inglesa, adquirida por Don Marcial en una exposición de París, estaba allí. Hubo un intento de fuga. Perro le cortó el camino, erizado de la cola a la cabeza. Su olor a macho era tan envolvente, que la inglesa olvidó que la habían bañado, horas antes, con jabón de Castilla.

Cuando Perro regresó a la caverna, clareaba. Cimarrón dormía, arrebozado en la sotana del párroco. Allá abajo, en el río, dos manatíes retozaban entre los juncos, enturbiando la corriente con sus saltos que abrían nubes de espuma sobre los limos.

V

Cimarrón se hacía cada vez más imprudente. Rondaba, ahora, en torno a los caseríos, acechando a cualquier

hora una lavandera solitaria, o una santera que buscaba
culantrillo, retama o pitahaya para algún despojo. También, desde la noche en que había tenido la audacia de beberse los duros del capellán en un parador del camino, se
hacía ávido de monedas. Más de una vez, en los atajos,
se había llevado el cinturón de un guajiro, luego de de-
rribarlo de su caballo y de acallarlo con una estaca. Perro
lo acompañaba en esas correrías, ayudando en lo posible.
Sin embargo, se comía peor que antes y, más que nunca,
era necesario desquitarse con huevos de codorniz, de ga-
llinuela o de garza. Además, Cimarrón vivía en un continuo sobresalto. Al menor ladrido de Perro, echaba
mano al machete robado o se trepaba a un árbol.

Pasada la crisis de primavera, Perro se mostraba cada
vez más reacio a acercarse a los pueblos. Había demasiados niños que tiraban piedras, gente siempre dispuesta a
dar de patadas y, al oler su proximidad, todos los perros
de los patios lanzaban gritos de guerra. Además, Cimarrón volvía, esas noches, con el paso inseguro, y su boca
despedía un olor que Perro detestaba tanto como el del
tabaco. Por ello, cuando el amo entraba en una casa mal
alumbrada, Perro lo esperaba a una distancia prudente.
Así se fue viviendo hasta la noche en que Cimarrón se en-
cerró demasiado tiempo en el cuarto de una mondonguera. Pronto, la choza fue rodeada de hombres cautelosos,
que llevaban mochas en claro. Al poco rato, Cimarrón
fue sacado a la calle, desnudo, dando tremendos alaridos.
Perro, que acababa de oler el mayoral del ingenio, echó
a correr al monte, por la vereda de los cañaverales.

Al día siguiente, vio pasar a Cimarrón por el camino.
Estaba cubierto de heridas curadas con sal. Tenía hierros
en el cuello y en los tobillos, y lo conducían cuatro nú-
meros de la Benemérita de San Fernando, que le daban
un baquetazo a cada dos pasos, tratándolo de ladrón, de
borracho y de malnacido.

VI

Sentado sobre una cornisa rocosa que dominaba el valle, Perro aullaba a la luna. Una honda tristeza se apoderaba de él a veces, cuando aquel gran sol frío alcanzaba su total redondez, poniendo tan desvaídos reflejos sobre las plantas. Se habían terminado, para él, las hogueras que solían iluminar la caverna en noches de lluvia. Ya no conocería el calor del hombre en el invierno que se aproximaba, ni habría ya quien le quitara el collar de púas de cobre, que tanto le molestaba para dormir —a pesar de que hubiera heredado la sotana del párroco—. Cazando sin cesar, se había hecho más tolerante, en cambio, con los seres que no servían para ser comidos. Dejaba escapar el majá entre las piedras calientes, sin ladrar siquiera, desde que Cimarrón no estaba ahí para azuzarlo, con la esperanza de hacerse un cinturón o de recoger manteca para untos. Además, el olor de las serpientes lo asqueaba; cuando había agarrado alguna por la cola, era en virtud de esas obligaciones a que todo ser que depende de alguien se ve constreñido. Tampoco —salvo en caso de hambre extrema— podía atreverse ya con el cochino jíbaro. Se contentaba ahora con aves de agua, hurones, ratas, y una que otra gallina escapada de los corrales aldeanos. Sin embargo, el ingenio estaba olvidado. Su campana había perdido todo sentido. Perro buscaba ahora el amparo de mogotes casi inaccesibles al hombre, viviendo en un mundo de dragos que el viento mecía con ruido de albarda nueva, de orquídeas, de bejucos, lombriz, donde se arrastraban lagartos verdes, de orejeras blancas, de esos que tan mal saben y, por lo mismo, permanecen donde están. Había enflaquecido. Sobre sus costillares marcados en huevo, la lana apresaba guisasos que ya no tenían espinas.

Con los aguinaldos, volvió la primavera. Una tarde en

que lo desvelaba un extraño desasosiego, Perro dio nuevamente con aquel misterioso olor a hembra, tan fuerte,
tan penetrante, que había sido la causa primera de su fuga
al monte. También ahora caían ladridos de la montaña.
Esta vez, Perro agarró el rastro en firme, recobrándolo
luego de pasar un arroyo a nado. Ya no tenía miedo. Toda
la noche siguió la huella, con la nariz pegada al suelo, largando baba por el canto de la lengua. Al amanecer, el
olor llenaba toda una quebrada. El rastreador estaba frente a una jauría de perros jíbaros. Varios machos, con perfil de lobos, se apretaban ahí, relucientes los ojos, tensos
sobre sus patas, listos para atacar. Detrás de ellos se ce-
rraba el olor a hembra.

Perro dio un gran salto. Los jíbaros se le echaron encima. Los cuerpos se encajaron, unos en otros, en un confuso remolino de ladridos. Pero pronto se oyeron los aullidos abiertos por las púas del collar. Las bocas se llenaban de sangre. Había orejas desgarradas. Cuando Perro
soltó al más viejo, con la garganta desgajada, los demás
retrocedieron, gruñendo con rabia inútil. Perro corrió entonces al centro del palenque, para librar la última batalla a la perra gris, el pelo duro, que lo esperaba con los
colmillos fuera. El rastro moría a la sombra de su vientre.

VII

Los jíbaros cazaban en bandada. Por ello buscaban las
piezas grandes, de más carne y más huesos. Cuando daban con un venado, era tarea de días. Primero, el acoso.
Luego, si la bestia lograba salvar una barranca de un salto, el atajo. Luego, cuando una caverna venía en ayuda
de la presa, el asedio. A pesar de herir y entortar, el ani-
mal moría siempre en dientes de la jauría, que iniciaba la
ralea sobre un cuerpo vivo aún, arrancándole tiras de pelo

pardo, y bebiendo una sangre, fresca a pesar de su tibie-
za, en las arterias del cuello o en las raíces de una oreja
arrancada. Muchos de los jíbaros habían perdido un ojo,
sacado por un asta, y todos estaban cubiertos por cica-
trices, mataduras y peladas rojas. En los días de celo, los
perros combatían entre sí, mientras las hembras esperaban, echadas, con sorprendente indiferencia, el resultado
de la lucha. La campana del ingenio, cuyo diapasón era
traído a veces por la brisa, no despertaba en Perro el menor recuerdo.

Un día, los jíbaros agarraron un rastro habitual en
aquellas selvas de bejucos, de espinas, de plantas malva-
das que envenenaban al herir. Olía a negro. Cautelosa-
mente, los perros avanzaron por el desfiladero de los caracoles, donde se alzaba una vieja piedra con cara de
muerto. Los hombres suelen dejar huesos y desperdicios
por donde pasan. Pero es mejor cuidarse de ellos, porque son los animales más peligrosos, por ese andar sobre
las patas traseras que les permite alargar sus gestos con
palos y objetos. La jauría había dejado de ladrar.

De pronto, el hombre apareció. Olía a negro. Unas cadenas rotas, que le colgaban de las muñecas, ritmaban su
paso. Otros eslabones, más gruesos, sonaban bajo los fle-
cos del pantalón rayado. Perro reconoció a Cimarrón.

—¡Perro! —alborozó el negro—. ¡Perro!

Perro se le acercó lentamente. Le olió los pies, aunque
sin dejarse tocar. Daba vueltas en torno a él, moviendo
la cola. Cuando era llamado, huía. Y cuando no era llamado parecía buscar aquel sonido de voz humana que había entendido un poco, en otros tiempos, pero que ahora
le sonaba tan raro, tan peligrosamente evocador de obe-
diencias. Al fin Cimarrón dio un paso, adelantando una
mano blanda hacia su cabeza. Perro lanzó un extraño grito, mezcla de ladrido sordo y de aullido, y saltó al cuello
del negro.

Había recordado, de súbito, una vieja consigna dada por el mayoral del ingenio, el día que un esclavo huía al monte.

VIII

Como no olía a hembra y los tiempos eran apacibles, los jíbaros durmieron el hartazgo durante dos días. Arriba, las auras pasaban sobre las ramas, esperando que la jauría se marchara sin concluir el trabajo. Perro y la perra gris se divertían como nunca, jugando con la camisa listada de Cimarrón. Cada uno halaba por su lado, para probar la solidez de sus colmillos. Cuando se desprendía una costura, ambos rodaban por el polvo. Y volvían a empezar, con el harapo cada vez más menguado, mirándose a los ojos, las narices casi juntas. Al fin, se dio la orden de partida. Los ladridos se perdieron en lo alto de las crestas arboladas.

Durante muchos años, los monteros evitaron, de noche, aquel atajo dañado por huesos y cadenas.

Los advertidos

... et facta est pluvia super terram...

I

El amanecer se llenó de canoas. Al inmenso remanso, lago, mar interior, nacido de la invisible confluencia del Río venido de arriba —cuyas fuentes se desconocían— y del Río de la Mano Derecha, las embarcaciones llegaban, raudas, deseosas de entrar vistosamente en esbeltez de eslora, para detenerse, a palancazos de los remeros, donde otras, ya detenidas, se enracimaban, se unían, borda con borda, abundosas de gente que saltaba de proas a popas para presumir de graciosas, largando chistes, haciendo muecas, a donde no los llamaban. Ahí estaban los de las tribus enemigas —secularmente enemigas por raptos de mujeres y hurtos de comidas—, sin ánimo de pelear, olvidadas las pendencias, mirándose con sonrisas fofas, aunque sin llegar a entablar el diálogo. Ahí estaban los de Wapishan y los de Shirishan, que otrora, —acaso dos, tres, cuatro siglos antes— se habían acuchillado las jaurías, mutuamente, librándose combates a muerte, tan feroces que, a veces, no había quedado ni quien pudiese contarlo. Pero los bufones, de caras lacadas, pintadas con zumos de árboles, seguían saltando de canoa a canoa, enseñando los sexos acrecidos por prepucios de cuerno de venado, agitando las sonajas y castañuelas de conchas que llevaban colgadas de los testículos. Esa concordia, esa paz universal, asombraba a los recién llegados, cuyas armas, bien preparadas, atadas con cordeles que podían zafarse rápidamente, quedaban, sin mostrarse, en el piso de las canoas, bien al alcance de la mano. Y todo aquello —la concentración de naves, la armonía lograda entre hermanos enemigos, el desparpajo de los bufones— era porque se había anunciado a los pueblos, a los pueblos de más allá de los raudales, a los pueblos sin país, a los pueblos-sin-fuego, a los pueblos andariegos, a los pueblos de las montañas pintadas, a los pueblos de las Confluencias Remotas, que el Viejo quería ser ayudado en una tarea grande. Enemigos o no, los pueblos respetaban al anciano Amaliwak por su sapiencia, su entendimiento de todo, su buen consejo, los años vividos en este mundo, su poder de haber alzado, allá arriba, en la cresta de aquella montaña, tres monolitos de piedra que todos, cuando tronaba, llamaban los Tambores de Amaliwak. No era Amaliwak un dios cabal; pero era un hombre *que sabía*; que sabía muchas cosas cuyo conocimiento era negado al común de los mortales, que acaso dialogara, alguna vez, con la Gran Serpiente-Generadora, que, acostada sobre los montes, siguiéndoles el contorno como una mano puede seguir el contorno de la otra mano, había engendrado los dioses terribles que rigen el destino de los hombres, dándoles el Bien con el hermoso pico del tucán, semejante al Arco Iris, y dándoles el Mal con la serpiente coral, cuya cabeza diminuta y fina ocultaba el más terrible de los venenos. Era broma corriente decir que Amaliwak, por viejo, hablaba solo y respondía con tonterías a sus propias preguntas, o bien interrogaba las jarras, las cestas, la madera de los arcos, como si fuesen personas. Pero cuando el Viejo de los Tres Tambores convocaba era porque algo iba a suceder. De ahí que el remanso-más-apacible de la confluencia del Río venido de arriba con el Río de la Mano Derecha, estuviese llena, repleta, congestionada de canoas, aquella mañana.

Cuando el viejo Amaliwak apareció en la laja, que a modo de tribuna gigantesca se tendía por encima de las aguas, hubo un gran silencio. Los bufones regresaron a sus canoas, los hechiceros volvieron hacia él el oído menos sordo, y las mujeres dejaron de mover la piedra redonda sobre los metales. De lejos, de las últimas filas de embarcaciones, no podía apreciarse si el Viejo había envejecido o no. Se pintaba como un insecto gesticulante, como algo pequeñísimo y activo, en lo alto de la laja. Alzó la mano y habló. Dijo que Grandes Trastornos se aproximaban a la vida del hombre; dijo que, este año, las culebras habían puesto sus huevos en las cimas de los árboles; dijo que, sin que le fuera dable hablar de motivos, lo mejor, para prevenir grandes desgracias, era marcharse a los cerros, a los montes, a las cordilleras. «Ahí donde nada crece», dijo un Wapishan a un Shirishan que escuchaba al viejo con sonrisa socarrona. Pero un clamor se alzó, allá, en el ala izquierda, donde se habían juntado las canoas venidas de arriba. Gritaba uno: «¿Y hemos remado durante dos días y dos noches para oír esto?» «¿Qué ocurre en realidad?», gritaban los de derecha. «¡Siempre se hace penar a los más desvalidos!», gritaron los de izquierda. «¡Al grano! ¡Al grano!», gritaron los de derecha. El viejo alzó la mano otra vez. Volvieron a callar los bufones. Repitió el viejo que no tenía el derecho de revelar lo que, por proceso de revelación, sabía. Que, por lo pronto, necesitaba brazos, hombres, para derribar enor-

mes cantidades de árboles en el menor tiempo posible. El
pagaría en maíz —sus plantíos eran vastos— y en harina
de yuca, de la que sus almacenes estaban repletos. Los
presentes, que habían venido con sus niños, sus hechiceros y sus bufones, tendrían todo lo necesario y mucho
más para llevar después. Este año —y esto lo dijo con un
tono extraño, ronco, que mucho sorprendió a quienes lo
conocían— no pasarían hambre, ni tendrían que comer
gusanos de tierra en la estación de las lluvias. Pero, eso
sí: había que derribar los árboles limpiamente. Quemarles la base, derribarlos, quemarles las ramas mayores y
menores, y presentarle los troncos limpios de taras:
limpios, lisos, como los tambores que allá arriba (y los
señalaba) se erguían. Los troncos, rodados o flotados,
serían amontonados en aquel claro —y mostraba una
enorme explanada natural— donde, con piedrecitas, se
llevaría la contabilidad de lo suministrado por cada
pueblo presente. Acabó de hablar el Viejo, terminaron las
aclamaciones, y empezó el trabajo.

II

«El Viejo está loco». Lo decían los de Wapishan, lo decían los de Shirishan, lo decían los Guahibos y Piaroas;
lo decían los pueblos todos, entregados a la tala, al ver
que con los troncos entregados, el Viejo procedía a armar una enorme canoa —al menos: aquello se iba pare-
ciendo a una canoa— como nunca pudiese haberla concebido una mente humana. Canoa absurda, incapaz de
flotar, que iba desde el acantilado del Cerro de los Tres
Tambores hasta las orillas del agua, con unas divisiones
internas —unos tabiques movibles— absolutamente inex-
plicables. Además, esa canoa de tres pisos, sobre la cual
empezaba a alzarse algo como una casa con techo de hojas de moriche superpuestas en cuatro capas espesas, con

una ventana de cada lado, era de un calado tal, que las
aguas de aquí, con tantos bajos de arena, con tantas lajas
apenas sumergidas, jamás podrían llevar. Por ello, lo más
absurdo, lo más incomprensible, es que aquello tuviese
forma de canoa, con quilla, con cuadernas, con cosas que
servían para navegar. Aquello no navegaría nunca. Templo tampoco sería, porque los dioses se adoran en las cavernas abiertas en las cimas de los montes, allá donde hay
animales pintados por los Antepasados, escenas de caza,
y mujeres con los pechos muy grandes. El Viejo estaba
loco. Pero de su locura se vivía. Había mandioca y maíz
y hasta maíz para poner la chicha a fermentar en los cán-
taros. Con esto se daban grandes fiestas a la sombra de
la Enorme-Canoa que iba creciendo de día en día. Ahora
el viejo pedía resina blanca, de esa que brota de los troncos de un árbol de hojas grasas, para rellenar las hendijas
dejadas por el desajuste de algún tronco, mal machihem-
brado con el más próximo. De noche, se bailaba a la luz
de las hogueras; los hechiceros sacaban las Grandes Máscaras de Aves y de Demonios; los bufones imitaban el venado y la rana; había porfías, responsos, desafíos incruen-
tos entre las tribus. Venían nuevos pueblos a ofrecer sus
servicios. Aquello fue una fiesta hasta que Amaliwak,
plantando una rama florida en el techo de la casa que dominaba la Enorme-Canoa, resolvió que el trabajo estaba
terminado. Cada cual fue pagado cabalmente en harina
de yuca y en maíz, y —no sin tristeza— los pueblos em-
prendieron la navegación hacia sus respectivas comarcas.
Ahí quedaba, en luna llena, la canoa absurda, la canoa
nunca vista, construcción en tierra que jamás habría de
navegar a pesar de su perfil de nave-con-casa-encima, en
cuyo cuádruple techo de moriche andaba el viejo Amaliwak, entregado a extrañas gesticulaciones. La Gran-
Voz-de-Quien-Todo-lo-Hizo le hablaba. Había roto las
fronteras del porvenir y recibía instrucciones de lo arca-

no. «Repoblar la tierra de hombres, haciendo que su mujer arrojara semillas de palmera por encima de su hombro». A veces, pavorosa en su dulzura exterminadora, sonaba la voz de la Gran-Serpiente-Generadora, cuyas palabras cantarinas helaban la sangre. «¿Por qué habré de ser yo —pensaba el anciano Amaliwak— el depositario del Gran Secreto vedado a los hombres? ¿Por qué se me ha escogido a mí para pronunciar los terribles conjuros, para asumir tan grandes tareas?» Un bufón curioso había permanecido en una barca rezagada para ver lo que podía ocurrir ahora en el Extraño-Lugar-de-la-Canoa-Enorme. Y cuando la luna se ocultaba ya detrás de las montañas cercanas, sonaron los Conjuros, inauditos, inconcebibles, lanzados con una voz tan fuerte que no podía tratarse de la voz de Amaliwak. Entonces algo que era de vegetación, de árboles, del suelo, de las ramazones, que aun quedaban detrás de las talas, echó a andar. Era un tumulto tremebundo de saltos, de vuelos, de arrastres, de galopes, de empellones, hacia la Enorme-Canoa. El cielo blanqueó de garzas antes de amanecer. Una masa de rugidos, zarpazos, trompas, morros, corcobios, encabritamientos, cornadas; una masa arrolladora, tremebunda, presurosa, se iba colando en la embarcación imposible, cubierta por las aves que entraban a todo vuelo, por entre cuernos y cornamentas, patas alzadas, mordiscos lanzados al viento. Después, el suelo hirvió en el mundo de los reptiles de agua y de tierra, no faltando los lagartones enormes, los camaleones, y las serpientes menores —ésas, que hacen música con la cola, se disfrazan de ananás o traen pulseras de ámbar y de coral sobre el cuerpo—. Hasta bien pasado el mediodía se asistió a la arribazón de gente que, como los venados rojos, no habían recibido el aviso a tiempo, o las tortugas, para las cuales los viajes largos eran trabajosos y más ahora que eran los tiempos de desovar. Por fin, viendo que la última tortuga ha-

bía entrado en la canoa, el anciano Amaliwak cerró la
Gran Escotilla, y subió a lo más alto de la casa donde las
mujeres de su familia —es decir: de su tribu, puesto que
su gente se casaba de trece años— estaban entregadas,
cantando, a los juegos y rejuegos del metate. El cielo de
aquel mediodía era negro. Parecía que la tierra negra de
las comarcas negras se le hubiese subido, de horizonte a
horizonte. En eso sonó la Gran-Voz-de-Quien-Todo-lo-
Hizo: «Cúbrete los oídos», dijo. Apenas Amaliwak hubo
obedecido, retumbó un trueno tan horrísono y prolon-
gado que los animales de la Enorme-Canoa quedaron en-
sordecidos. Entonces empezó a caer la lluvia. Pero no
una lluvia como la conocen ustedes. Lluvia de Cólera de
Dioses, pared de agua de un espesor infinito, bajaba de
lo alto; techo de agua en desplome perpetuo. Como era
imposible respirar, siquiera, bajo semejante lluvia, el viejo entró en la casa. Ya caían goteras, ya lloraban las mujeres, ya chillaban los niños. Y ya no se supo del día ni
de la noche. Todo era noche. Amaliwak, ciertamente, se
había provisto de mechas que, al ser encendidas, ardían
más o menos durante el tiempo de un día o de una noche. Pero ahora, con esa ausencia de luz, estaba descon-
certado en sus cálculos, dando noches por días y días por
noches. Y, de súbito, en un momento que el anciano no
olvidaría nunca, la proa de la canoa empezó a dar de ban-
dazos. Una fuerza levitaba, alzaba, empujaba, aquella
construcción hecha bajo el dictado de los Poderosos de
las Montañas y del Cielo. Y, después de una tensión, de
una indecisión, de un miedo, que obligó a Amaliwak a
tomarse un jarro entero de chicha de maíz, hubo como
un embate sordo. La Enorme-Canoa había roto su última atadura con la tierra. Flotaba. Y se lanzaba hacia un
mundo de raudales abiertos entre montañas, raudales
cuyo bramido continuo ponía pavor en el pecho de los
hombres y animales. La Enorme-Canoa flotaba.

III

Al principio Amaliwak y sus hijos y sus nietos y bisnietos y tataranietos trataron, aullantes, de piernas abiertas en las cubiertas, de concentrarse en alguna maniobra de timón. Era inútil. Circundada de montañas, azotada por los rayos, la Enorme-Canoa caía, de raudal en raudal, de viraje en viraje, esquivando los escollos, sin topar con nada, por su misma debilidad en seguir el enfurecido correr de las aguas. Cuando el anciano se asomaba a las bordas de su Enorme-Canoa, la veía correr, harto rauda, desorientada, desnortada (¿acaso se veían las estrellas?) en su mar de fango líquido que iba empequeñeciendo las montañas y los volcanes. Porque a aquél se le miraba de cerca el exiguo abismo que otrora arrojara fuego. Poco impresionaban sus labios de lava llovida. Las montañas se reducían en tamaños con aquella desaparición creciente de sus faldas. E iba la Enorme-Canoa por rumbos inseguros, hacia arribaciones desconocidas, girando en redondo, a veces, antes de arrojarse a un disparadero de aguas que paraba en catarata ya amansada por las aguas de abajo. Así fue, por desfiladeros ignotos, hasta que las aguas —según el mal cálculo de Amaliwak había llovido durante más de veinte días, y de aquella manera tremebunda...— dejaron de caer del cielo. Se hizo un gran remanso, una gran mar quieta, entre las últimas cimas visibles, con sus playas de lodo pintadas a millares de palmos de altura, y la Enorme-Canoa dejó de agitarse. Era como si La-Gran-Voz-de-Quien-Todo-lo-Hizo le impusiera un descanso. Las mujeres habían regresado a sus metates. Los animales, abajo, estaban tranquilos; todos, desde el día de la Revelación, se habían conformado con el yantar cotidiano, de maíz y de yuca, así fuesen carnívoros. Amaliwak, cansado, se echó un buen jarro de dicha en el gaznate y se echó a dormir en su chinchorro.

Al tercer día de sueño lo despertó un choque de su nave con alguna cosa. Pero no era cosa de roca, ni de piedra, ni de troncos muy viejos, de esos que yacían, petrificados, intocables, en los claros de la selva. El golpe había derribado algunas cosas: jarros, enseres, armas, por su violencia. Pero había sido un golpe blando, como de madera mojada con madera mojada, de tronco flotante con tronco flotante, en que ambos, después de herirse las cortezas, siguen juntos sus caminos, unidos como marido y mujer. Amaliwak subió a los pisos superiores de su embarcación. Su canoa había tropezado, de soslayo, con algo rarísimo. Sin fracturas había abordado una nave enorme, de costillares al descubierto, de cuadernas fuera de borda, como hecha de bambúes, de juncos, con algo sumamente singular: un mástil en torno del cual giraba, según soplara la brisa —ya habían terminado los grandes vientos— un velamen cuadrado, de cuatro caras, que agarraba el aire que soplara por debajo, como una chimenea de choza. Viendo así la embarcación obscura, que ninguna forma viviente animaba, pensó el anciano Amaliwak en medirla a ojo de buen comprador de jarras —con chicha adentro, por supuesto—. Tenía unos trescientos codos de longitud, unos cincuenta de anchura, y unos treinta codos de alto. «Más o menos como mi canoa —dijo— aunque yo he dilatado a lo sumo las proporciones que me fueron dictadas por revelación. Los dioses, de tanto andar por el cielo, poco saben de navegar». Se abrió la escotilla de la extraña nave, apareció un anciano pequeñito, tocado con un gorro rojo, que parecía sumamente irritado: «¿Qué? ¿No atamos cabos?» gritó, en un idioma extraño, hecho a saltos de tonalidades de palabras a palabras, pero que Amaliwak entendió porque los hombres sabios, en aquellos días, entendían todos los idiomas, dialectos y jergas, de los seres humanos. Amaliwak mandó

a largar cabos a la extraña embarcación; ambas se arri-
maron, y se abrazó el anciano de otro anciano de tez un
tanto amarillenta, que le dijo venir del Reino de Sin, cuyos animales traía en las entrañas del Gran-Barco.
Abriendo la escotilla mostró a Amaliwak un mundo de
animales desconocidos que, entre divisiones de madera
que limitaban sus pasos, pintaban estampas zoológicas
por él nunca sospechadas. Se asustó al ver que hacia ellos
trepaba un oso negro de muy fea traza; abajo había como
venados grandes, con gibas en los lomos. Y unos felinos
brincadores, nunca quietos, que llamaba «onzas». «¿Qué
hace usted aquí?», preguntó el hombre de Sin a Amaliwak. «¿Y usted?», contestó el anciano. «Estoy salvando
la especie humana y las especies animales», dijo el hombre de Sin. «Estoy salvando la especie humana y las especies animales», dijo el anciano Amaliwak. Y como las
mujeres del hombre de Sin habían traído el vino de arroz,
no se habló mas de cuestiones difíciles de dilucidar, aquella noche. Y algo borrachos estaban el hombre de Sin y
el anciano Amaliwak cuando, al filo del amanecer, un golpe formidable hizo retumbar las dos naves. Una embarcación cuadrada —trescientos codos de longitud, cincuenta más o menos de anchura, treinta codos (eran unos
cincuenta) de alto— dominada por una casa-vivienda con
ventanas laterales, había topado con las dos naves ama-
rradas. En la proa, antes de que fuesen a requerirlo por
una mala maniobra marinera, un anciano, muy anciano,
de largas barbas, recitaba lo inscrito en unas pieles de animales. Y lo recitaba a gritos, para que todos lo escucha-
ran, y nadie viniese a requerirlo por la maniobra marinera mal hecha. Decía: «Me dijo Iaveh: Hazte un arca de
madera de Gopher; harás aposentos en el arca y la em-
betunarás con brea por dentro y por fuera. Al arca harás
piso bajo, segundo y tercero». «Aquí también hay tres pisos», decía Amaliwak. Pero proseguía el otro: «Y yo, he

aquí que yo traigo un diluvio de aguas sobre la tierra, para destruir toda carne en que haya espíritu de vida debajo del cielo; todo lo que hay en la tierra morirá. Mas estableceré un pacto contigo y entrarás en el arca tú y tus hijos y tu mujer y las mujeres de tus hijos contigo...» «¿No fue acaso lo que yo hice?», dijo el anciano Amaliwak. Pero proseguía el otro el recitado de su Revelación: «Y de todo lo que vive, de toda carne, dos de cada especie meterás en el arca, y para que tengan vida contigo, macho y hembra serán. De las aves, según su especie; de todo reptil de la tierra, según su especie; dos de cada especie entrarán contigo para que hayan vida.» «¿Así no hice yo?», preguntábase el anciano Amaliwak hallando que aquel extranjero resultaba harto presuntuoso con sus Revelaciones que eran semejantes a todas las demás. Pero, al pasar de embarcación a embarcación, los nexos de simpatía se fueron creando. Tanto el hombre de Sin, como el anciano Amaliwak y el Noé recién llegado eran grandes bebedores. Con el vino del último, la chicha del viejo, el licor del arroz del primero, los ánimos se fueron ablandando. Se formulaban preguntas, tímidas al comienzo, acerca de los pueblos respectivos; de sus mujeres, de sus modos de comer. Ya sólo llovía de cuando en cuando, y eso, como para poner un poco de claridad en el cielo. El Noé, del arca maciza, propuso que se hiciese algo para saber si toda vida vegetal había desaparecido del mundo. Lanzó una paloma sobre las aguas, quietas aunque fangosas en grado indecible. Al cabo de una larga espera, la paloma regresó con un ramito de olivo en el pico. El anciano Amaliwak arrojó entonces un ratón al agua. Al cabo de larga espera, el ratón regresó con una mazorca de maíz entre las patas. El hombre del País de Sin despachó, entonces, un papagayo, que regresó con una espiga de arroz debajo del ala. La vida recobraba su curso. Sólo faltaba recibir alguna Instrucción de Aquéllos que vigilan el ir y venir de los hombres desde sus templos y cavernas. Las aguas bajaban de nivel.

IV

Transcurrían los días y calladas estaban las Grandes Voces de Quien-Todo-lo-Hizo, de Iaveh —con quien Noé parecía haber tenido largos coloquios, con instrucciones más precisas que las impartidas a Amaliwak—; de Quien-Todo-lo-Creó y vive en el espacio, ingrávido y suspendido como una burbuja, escuchado por el Hombre de Sin. Desconcertados estaban los capitanes de las naves, arrimadas por sus bordas, sin saber qué hacer. Descendían las aguas; crecían las montañas; volvían a pintarse las cordilleras en el horizonte de paisajes libres de sus nieblas. Y, una tarde en que los capitanes bebían para distraerse de sus propias inquietudes y cavilaciones, se anunció la aparición de una cuarta nave. Era casi blanca, de una admirable finura de líneas, con las bordas pulidas y unas velas de formas nunca vistas por acá. Se arrimó ligeramente, y, envuelto en una capa de lana negra, apareció el Capitán: «Soy Deucalión —dijo—. De donde se yergue un monte llamado Olimpo. He sido encargado por el Dios del Cielo y de la Luz de repoblar el mundo cuando termine este horrible diluvio.» «¿Y dónde lleva los animales en una nave tan exigua?», preguntó Amaliwak. «No se me ha hablado de animales —dijo el recién llegado—. Cuando termine esto tomaremos piedras, que son los huesos de la tierra, y mi esposa Pirra las arrojará por encima de sus hombros. De cada guijarro nacerá un hombre.» «Yo debo hacer lo mismo con las semillas de la palmera», dijo Amaliwak. En eso, de la bruma que acababa de levantarse sobre las costas cada vez más próximas, surgió, como embistiendo, la mole enorme de una nave casi idéntica a la de Noé. Una hábil maniobra de los que la tripulaban ladeó la embarcación poniéndola al pairo. «Soy Out-Napishtim —dijo el nuevo Capitán, saltando a la nave de Deucalión—. Por el Dueño-de-las-Aguas supe lo que iba a ocurrir. Entonces edifiqué el arca y embarqué en ella, además de mi familia, ejemplares de animales de todas las especies. Me parece que lo peor ha pasado. Primero arrojé una paloma al espacio, pero regresó sin haber hallado cosa alguna que, para mí, significara vida. Lo mismo me ocurrió con la golondrina. Pero el cuervo no regresó: prueba de que halló algo que comer. Estoy seguro de que en mi país, en el lugar llamado Boca de los Ríos, ha quedado gente. El agua sigue descendiendo. Ha llegado la hora de regresar a las tierras propias. Con tanta tierra de aquí de allá, acarreada, depositada, dejada sobre los campos, tendremos buenas cosechas.» Y dijo el hombre de Sin: «Pronto abriremos las escotillas y saldrán los animales a sus pastos fangosos; y se reanudará la guerra entre las especies; y los unos devorarán a los otros. No me cupo la gloria de salvar la raza de los dragones, y lo siento, porque ahora esa raza se extinguirá. Sólo hallé un dragón macho, sin hembra, en el lugar septentrional donde pacen los elefantes de colmillos curvos y donde los grandes lagartos ponen huevos semejantes a sacos de sésamo.» «Todo está en saber si los hombres habrán salido mejores de esta aventura —dijo Noé—. Muchos deben haberse salvado en las cimas de los montes.»

Los Capitanes cenaron silenciosamente. Una gran congoja —inconfesada, sin embargo; guardada en lo más hondo del pecho— les ponía lágrimas en las gargantas. Se les había venido abajo el orgullo de creerse elegidos —ungidos— por divinidades que, en suma, eran varias, y hablaban a sus hombres de idéntica manera. «Por ahí deben andar otras naves como las nuestras», dijo Out-

Napishtim, amargo. «Más allá de los horizontes; mucho
más allá, debe haber otros hombres advertidos, navegan-
do con sus cargas de animales. Debe haberlos del País
donde se adoran el fuego y las nubes.» «Debe haberlos
de los Imperios del Norte que, según dicen, son tremen-
damente industriosos.» En ese instante, la Voz-de-
Quien-Todo-lo-Hizo retumbó en los oídos de Amaliwak: «Apártate de las demás naves, y déjate llevar por la
aguas.» Nadie, salvo el Viejo, escuchó el tremebundo
mandato. Pero a todos ocurría algo, puesto que se mar-
chaban de prisa, sin despedirse unos de otros, volviendo
a sus embarcaciones. Cada una halló la corriente que le
correspondía, en un agua que ya se pintaba a la manera
de un río. Y, pronto, el anciano Amaliwak se encontró
solo con su gente y con sus animales. «Los dioses eran
muchos —pensaba—. Y donde hay tantos dioses como
pueblos, no puede reinar la concordia, sino que debe vi-
virse en desavenencia y turbamulta en torno a las cosas
del Universo.» Los dioses se le empequeñecían. Pero aún
le tocaba una tarea por cumplir. Arrimó la Enorme-Canoa a una orilla y, bajando detrás de una de sus esposas,
le hizo arrojar detrás de sus espaldas las semillas de palmera que llevaba en un saco. En el acto —y era maravilla
verlo— las semillas se transformaban en hombres que, en
pocos instantes crecían, crecían, pasando a la talla de niños, a la talla de mozos, a la talla de adolescentes, a la talla de hombres. Con las semillas que contuvieran gérme-
nes de hembra ocurría lo mismo. Al cabo de la mañana
era una multitud pululante, la que llenaba la orilla. Pero,
en eso, una obscura historia de rapto de hembra, dividió
la multitud en dos bandos, y fue la guerra. Amaliwak regresó precipitadamente a la Enorme-Canoa, viendo cómo
los hombres recién salvados, recién creados, se mataban
unos a otros. Y según sus posiciones de combate en la
costa elegida para su resurrección, era evidente que ya se

había creado un *bando-montaña* y un *bando-valle*. Ya tenía éste un ojo colgándole en medio de la cara; ya tenía el otro las entrañas de fuera; ya tenía el otro el cráneo abierto por una piedra. «Creo que hemos perdido el tiempo», dijo el anciano Amaliwak poniendo su Enorme-Canoa a flote.

El derecho de asilo

> El asilo de perseguidos políticos en
> Legaciones, será respetado en la medida
> en que, como un derecho o por huma-
> nitaria tolerancia, lo admitieren las con-
> venciones o las leyes del país de refu-
> gio...

> *Artículo 2.º del Convenio re-*
> *dactado por la Conferencia*
> *Panamericana reunida en*
> *La Habana, el año 1928.*

I

DOMINGO

Como era domingo, el Secretario de la Presidencia y
Consejo de Ministros llegó, a eso de las diez, al Palacio
de Miramontes, después de permanecer largo tiempo en
la contemplación de un Meccano exhibido en tienda próxima. Hoy —y más en verano— las gentes estaban me-
tidas en misas y playas. En días de semana apenas si el
Secretario podía trabajar a derechas en asuntos que me-
recieran una redacción ponderada y confidencial, a causa
del incansable desfile de embajadores, entorchados y condecoraciones, altos funcionarios, personalidades extran-
jeras, tonsurados grandes y pequeños, gobernadores de
provincias remotas, solicitantes y pedigüeños, que, con
audiencia o sin ella —sin ella, sobre todo, cuando se trataba de militares—, deseaban ser recibidos por el Señor

Presidente, o, en el peor de los casos, por el Vice cuya ejecutividad andaba más que desacreditada: «Hablaré de su asunto con el Señor Presidente», decía, engolando la voz. Y luego, al ver al Primer Magistrado de la Nación: «General... Nos han conseguido unas italianas de primera». (Juntaba los dedos de la mano derecha que dejaba vagar en el espacio después de dispararse un beso a las yemas.) *«Beati Possidentes.»* «Ya me estaba cansando del ganadito criollo, ése, que me conseguías donde la Lola», habían declarado, algunas semanas antes, el Primer Magistrado. «Hemos llegado a un punto en que necesitamos mujeres europeas, elegantes, refinadas y con conversación...» El Secretario se asomó al patio-jardín de aquella casona de un estilo aproximadamente Segundo Imperio, de una sola planta, nunca habitada por los últimos presidentes constitucionales o de asonada, a causa de su incomodidad, la monumentalidad de sus retretes y su situación poco estratégica en caso de cuartelazo, puesto que estaba en el área de tiro de una batería próxima. Detrás de los bojes tallados, el Sargento Ratón procedía a alimentar a la tortuga Cleopatra con las lechugas que iba sacando de un saco de esparto mojado. «¿Has visto la prensa?», dijo el militar blandiendo un periódico: «Hitler dijo a sus soldados: *Tú no tienes corazón ni nervios; en la guerra no se necesitan. Destruye en ti la misericordia y compasión. Mata a todo ruso-soviético; no te detengas si ante ti se encuentran un viejo o una mujer, una niña o un niño; mátalos y con ello te salvarás de la muerte, asegurarás el futuro de tu familia y te cubrirás de gloria para siempre.* ¡Plomo con ellos! Lo que yo digo: las teorías de Clauseviche. ¡Qué grande era el prusiano ese!» El Secretario se había admirado siempre ante el culto de Ratón a Clausewitz, a quien tenía por el inventor de una guerra total de *science-fiction* —aparatos al rojo vivo que entraban en las ciudades aserrando las casas al nivel de las aceras: grúas

que levantaban los edificios, y los dejaban caer de gran
altura sobre los focos de resistencia: lanzallamas con bocas de túneles, carros de asalto con trescientos hombres
dentro—, «guerra total» de cuyo inventor sólo tenía noticias por los decires de otro sargento, quien tenía sus informaciones, a su vez, de un cabo, ayudante de un teniente que tenía ejemplares de *De la guerra* y *La Campaña de Waterloo,* y gustaba de comentar algunos de sus
conceptos en voz alta. «¡Para que ese Clauseviche haya podido más que Napoleón!» Y seguía el Sargento alimen-
tando a su Cleopatra. El secretario pensaba, una vez más,
en ese anhelo de guerra total nunca vista alentado por un
hombre tierno y simple, capaz de llorar ante un achaque
de su tortuga, que gastaba todo su sueldo en comprar sol-
daditos de plomo a los chicos del barrio, comulgaba con
cierta regularidad y, en cuanto a literatura, poseía la gra-
cia de Libro Unico, insustituible, irreemplazable, que col-
maba aún, al cabo de un centenar de lecturas, sus apetencias de belleza, de aventura, de amor, halagando sus ocul-
tas voluntades de poder, y trayendo acaso, a su condición de graduado menor, tenido a poco, aquello que sólo
se encuentra en los escritos de Boecio, Epicteto y Marco
Aurelio: *El Conde de Montecristo.* Pero a la vez, soñaba
con guerras terribles, exterminadoras, exhaustivas, con
sus consiguientes genocidios. Sentía que una diferencia
surgida entre la nación de aquí y la nación vecina a causa
de límites mal determinados por una frontera tan teórica
como selvática, buena únicamente para pintarse en los
mapas de geografías escolares, no se dirimieran, de una
vez, por las armas. «Y usándose las peores», añadía, so-
ñando con un arsenal que contuviera todos aquellos ar-
tefactos tremendos que actuaban en las aventuras inter-
planetarias de los *comics* dominicales, traducidos al espa-
ñol por la prensa local.

El Secretario entró en su despacho decorado al estilo

pompeyano, donde lo esperaban varios legajos de fácil revisión, al pie del tintero amparado por un águila napoleónica. Terminado el trabajo y esperando que el Sargento Ratón le sirviera el almuerzo, se dio a andar por el Palacio, cuya vastedad, vacía de gentes, ujieres y guardias, le daba una deleitosa sensación de soledad. Cruzó el Gran Salón, al estilo Luis XV, con sus Gobelinos de baratillo y su piano blanco, de ribetes dorados; las yermas habitaciones presidenciales, con sus muebles falso-Escorial; la biblioteca, con sus Mommsen, sus Duruy, sus Michelet, sus César Cantú, sus Guizot, jamás compulsados, las estancias teóricamente reservadas a la Señora Presidenta, todo en ocurrencia *modern-style,* náyades policromas sosteniendo espejos, dibujos a lo Mucha, con vagos remedos de Aubrey Beardsley en los Pierrots llorosos que, con sus lunerías y mandolinatas, adornaban un biombo detrás del cual se ocultaban un lavabo y un *bidet* —este último, motivo de escándalo en la ciudad, cuando había sido traído de Francia, con demasiado misterio para no haber promovido suspicacias, cuarenta años antes. El salón de Audiencias y Presentación de Cartas Credenciales tiraba a lo medieval, con sus ménsulas de nogal, sus panoplias y la tapicería que servía de dosel al asiento presidencial que mostraba a San Luis impartiendo justicia a la sombra de una encina... Servido el almuerzo, entró el Secretario en el comedor, entre cuyas pinturas de centauros y bacantes, ejecutadas, a comienzo del siglo, por un alumno prominente de la Escuela de Bellas Artes de París, representábase el estilo Veuve-Clicquot en un alto óleo que mostraba una botella de champaña —con la marca bien visible— que al descorcharse arrojaba al espacio una espuma de angelitos y querubines. El Secretario se sentó en la cabecera de la gran mesa, en el propio lugar del Presidente. La verdad era que, los domingos, se sentía un poco presidente en el Palacio de Miramontes. Cier-

ta vez había llegado a terciarse una banda presidencial
para sentir la emoción del poder. «¿Ya sabe usted lo que
dicen en la calle? Que el General Mabillán se ha alzado
con sus tropas. Hay una tremenda agitación en la ciudad.
Aquí lo que hace falta es una guerra total. Que no quede
nadie del lado de allá de la frontera que quieren mover-
nos...» Pero el Señor Secretario no respondía. Había sacado de su bolsillo un pequeño libro de reproducciones
de cuadros de Paul Klee. El Secretario amaba, por encima de toda plástica, la obra de Paul Klee.

II

LUNES

   Levantarse temprano. Jamás me he acostumbrado a
ello. Y luego, la repetición de los mismos gestos. Hoy,
como ayer, como hace veinte años. Te hallas envejecido
en el espejo. Y la navaja de afeitar. El mismo gesto. La
misma mueca. Los nidos rebeldes, siempre rebeldes. Los
dientes, ahora. Esa barrera de gestos exigidos por la co-
munidad —y más si se es Secretario de la Presidencia y
del Consejo de Ministros entre el lecho y la calle. Entre
lo que ha sido el yacer y va a ser el andar vestido. Desde
que el hombre nace su existencia se acompaña de un rep-
tar, de un deslizarse, de un tránsito en las fundas de in-
numerables tejidos, paños, telas, que han de quedar unidos por siempre en la historia de su existencia. Del pañal
primero al traje solemne que lleva en su entierro, es un
viaje de topo de camisa en camisa, de levita en levita, hasta penetrar —esta vez vestido por otro— en la funeraria.
Queda el recuerdo del flux verde de los días de penuria,
que llegó a ser amarillo; queda el recuerdo del azul cruzado, inglés, que fue compañero de los primeros éxitos;

y aquel de esport, que llevaba cuando me declaré a Sonia; y aquel gris que me quité ante ella, mientras, ya desnuda, mordía un durazno. Y aquellos otros, acompañados de fechas, como los vinos de buenos años. Desde que abre los ojos hasta que los cierra —y aún después de cerrarlos— no hace el hombre más que desempeñar el papel de paraguas que tuviese varias fundas: fundas a las que, por lo demás, se atribuyen virtudes definidoras de condición, inteligencia y estado social. Ahora, andar. Andar hacia el Palacio de Miramontes, con los dieciocho botones del atuendo perfectamente abotonados (los dos de los bolsillos interiores, los seis de la pretina, los tres de la americana, los siete del chaleco). Hoy a las nueve hay Consejo de Ministros para considerar las exigencias del país Fronterizo en un punto a fronteras. Llego ya al Palacio de Miramontes y me asombra un hecho sin importancia para el común de los transeúntes. El Sargento Ratón ocupa la garita de la posta, armado, con dos cartucheras terciadas. Se nota alguna nerviosidad en el cuerpo de guardia, cuyo vestíbulo, que es también vestíbulo de entrada, se ve desde la calle. En eso llega el Ministro de Finanzas en su Jaguar: le abren la portezuela con la cortesía de siempre, pero cuando penetra en el vestíbulo es agarrado brutalmente por los hombros y puesto bajo custodia militar. Con el Ministro de Obras Públicas, llegado en un Cadillac, ocurre lo mismo. Y lo mismo con el Ministro de Higiene, el Ministro del Interior, el Ministro de Comunicaciones... Ratón te ha visto. Viene hacia ti. «¿No entra, doctor? Hoy tenemos Consejo», y te pone una mano demasiado pesada en el hombro. «Ya vengo», dices. «Quiero comprar cigarrillos en la esquina.» «Yo se los busco.» «Sargento», dices con una voz tan autoritaria que confunde a Ratón: «En ningún caso puede un soldado abandonar la posta que le ha sido confiada. Relea a Clausewitz. Que, por lo demás, parece que no lo ha leí-

do muy bien.» Ratón queda atónito, pero el Secretario
siente que sus ojos le siguen atentamente cuando se dirige hacia el estanquillo abierto en el ángulo de un bar. El
Sargento, por lo demás, se complace en hacerle oír un ruido admonitorio: el de un Mauser palanqueado con mano
ligera. «El bar no tiene salida a la otra calle», te dices.
«Déme una cajetilla de Chesterfield.» Ratón no te quita
los ojos de encima. Ganar tiempo, justificando la demora
con gestos bien visibles para el Sargento. «Déme un refresco de ésos.» Está helado. Pero tú: «No está frío.
Déme un poco de hielo, por favor.» Cintillos de periódicos: LA AVIACION SE SUMA AL MOVIMIENTO
DEL GENERAL MABILLAN. «Y también la guarni-
ción del Palacio», dirías tú. «Otro refresco.» En eso hay
tremendo alboroto en el cuerpo de guardia. Ha llegado
el Presidente de la República con el Primer Ministro.
Ante la magnitud de la presa, el Sargento Ratón, emo-
cionado, abandona su garita y entra en el Palacio. Se oyen
varios disparos —infructuosa tentativa de resistencia por
parte del Presidente, sabría yo después. Aprovechaste ese
momento para salir del bar y andar muy de prisa hasta
las oficinas del *National City Bank of New York*, que ya
está repleto de gente inocente de lo que está ocurriendo
a cincuenta metros de distancia. Tomas la calle aledaña y
te internas en el barrio de casas viejas donde no conoces
a nadie. Tu única solución es la de buscar el asilo en alguna embajada de país latinoamericano. Piensas en la de
México, tan hermosa, con su gran jardín adornado de
flamboyanes. Piensas en la de Venezuela, que tiene una
magnífica biblioteca y donde dan arepas con el desayu-
no. Pero están muy lejos. Y tú, que vives a cien metros
del Palacio de Miramontes, sólo saliste hoy con un peso
o dos en el bolsillo. Pronto, además, las tropas de Mabillán ocuparán las inmediaciones de las embajadas latinoa-
mericanas para evitar los «asilos». De súbito, al doblar la

esquina de la Iglesia de la Milagrosa Virgen del Páramo, autora de muy sonados milagros, te detienes ante un edificio modesto, de tres plantas, en cuyo piso intermedio, colgada del balcón, se ostenta la bandera de un país de América Latina en cuya banda blanca se pinta el escudo nacional: dos panteras descansando —pero vigilantes siempre— sobre los catetos de un triángulo dorado, en cuyo centro se ven dos manos de mujer, india y blanca (allí donde las mujeres blancas no dirigen la palabra a las indias), que acaban de romper las cadenas de la opresión. Del otro lado de la modesta embajada estaba la Ferretería-Quincalla de los Hnos. Gómez. Enfrente, la fachada lateral de la sucursal de una gran tienda internacional norteamericana cuyas sucursales se multiplican en todo el continente. No hay vacilación. Entras. Subes una pequeña escalera. Tocas a la puerta de la embajada, donde está advertido, por cartel, que hasta las 11 a. m. no se recibe a nadie. Te abre el Señor Embajador en pijama. «¿No ha visto el letrero?» Lo apartas suavemente y te instalas en una butaca en plena luz: «Me quedo», dices. «No entiendo, Señor Secretario, y perdóneme que no lo haya conocido antes... Pero con el resplandor de este cristal...» «El General Mabillán ha alzado los cuarteles. Todo el gobierno está preso. Pude escapar. Ahora me acojo al asilo de esta embajada de acuerdo con los nobles principios proclamados en La Habana en la Conferencia Panamericana del Año 28.» El señor Embajador, de pronto, se congestiona y estalla: «Pero esto es imposible, señor mío. Imposible. Esta embajada de un país pobre es muy pequeña. Usted sabe, mejor que nadie, de la miseria de sueldo que cobran los embajadores de ciertos países nuestros.» «Tengo quien me remita unos quinientos pesos mensuales», dices. Suena detrás de ti una voz de mujer. «Tenemos una habitación muy aceptable, tratándose de un hombre solo. Bastaría con sacar unos *velises*.» Te vuel-

ves. La guapa embajadora, vestida de gran kimono regalado por la esposa del Cónsul del Japón, te trae una taza
de café. «Espero que no se aburrirá demasiado con estos
dos viejos.»

El toque de queda era para las 4 p. m. hasta nueva orden. A las 8 p. m. el General Mabillán se dirigió en efecto a la Nación, hablando de los Héroes de la Independencia, de la Libertad recobrada, de la Justicia Social ve-
nidera, de la Bandera, del Ejército depositario de las más
gloriosas tradiciones, y otras cosas por el estilo. También
asoció el glorioso movimiento de aquel día al ideario de
los grandes hombres de América, y a otras cosas también
por el estilo. Hizo saber que el martes sería un día nor-
mal —aunque se mantendría el toque de queda a las
4 p. m. Finalmente, anunció el inmediato comienzo de
grandes obras públicas: la represa de Cambocara, el puente sobre el río Cozal, maravilla de ingeniería, el Ferrocarril del Oeste y la autopista de Nueva Córdoba a Puerto
Cadenas. «Listos son», dices: «Aún no han empezado a
gobernar y ya están robando. Hay que ver el negocio de
comisiones sobre durmientes, rieles, clavos, balasto, pos-
tes telegráficos, etc., que significará el Ferrocarril del
Oeste... y esto, sin haber entrado, siquiera, en el capítulo
del material rodante y la licitación de los puentes y esta-
ciones. En cuanto a la autopista, el juego es sencillo y no
deja huellas: ocho metros de anchura en el proyecto apro-
bado; 7,60 a la hora de rodar sobre ella. Sobre cuatro-
cientos kilómetros, imagínese el beneficio...» Por la noche sonaron disparos en la ciudad «Macanas», dijo el Señor Embajador: «En América Latina, los golpistas siempre salen victoriosos.» «Lo malo son los cadáveres, que
nunca fueron de gente del Country Club o de los barrios
ricos», dices: «Los arsenales latinoamericanos nunca tuvieron sino clientela de pobres.»

III

OTRO LUNES
(CUALQUIER LUNES)

Me aburro. Me aburro. Me aburro. Y estoy rodeado
de cosas que traen elementos nuevos a mi aburrimiento.
No es ya el hecho de estar encerrado, de no poder dar
un salto, siquiera, hasta el cine que está a media cuadra
(ya hay dos guardianes apostados en la entrada de la Embajada), de que mi *habitat* se haya reducido a una habitación angosta con una caja de Sopas Campbell haciendo
de velador, entre un calendario de la General Electric (vistas del Gran Cañón del Colorado, el Golden Gate, Montañas Rocosas, la pesca de la trucha, etcétera) y el calendario de una firma productora de discos, al que quedan aún las hojas correspondientes a Wanda Landowska,
Al Jolson, Elizabeth Schwartzkopf, Louis Amstrong, David Oistrakh y Art Tatum. Lo peor de todo es lo que me
circunda. El ábside del Santuario de la Milagrosa Virgen
del Páramo cae en absoluta verticalidad central sobre la
ventana del comedor del apartamento. Esa bocina arqui-
tectónica-natural, del más puro estilo gótico 1910, me
arroja a todas horas del día los latines de los oficios. He
llegado a saberme de memoria las palabras de un himno
de vísperas:

> Dum esset Rex in accubitu suo,
> nardus mea dedit odorem suavitatis.

Y aquello, con los días y los días de encierro, acaba
por hacerme perder la noción de las fechas. Miro hacia
la Ferretería-Quincalla de los Hermanos Gómez (fundada en 1912, léese en la fachada), y quedo absorto ante la
antigüedad sin época de las cosas que ahí se venden. Por-

que la historia de las industrias del hombre, desde la pro-
tohistoria hasta la bombilla eléctrica, está ilustrada por
los artículos, objetos y enseres que se ofrecen en la Ferretería-Quincalla de los Hnos. Gómez: las sogas, jarcias
y cordeles de Ulises; las balanzas y pesas que nos hablan
de los remotísimos tiempos en que el hombre, dejando
de vender frutas, carnes o peces, al estimado o a la pieza,
empezó a vender sus mercancías al peso, introduciendo,
con ello, en el comercio, los tribunales y justicias; los al-
mireces de piedra rocosa, idénticos aún a los que usaban
los primitivos habitantes de estas tierras; los yunques,
grandes o pequeños evocadores de tantas cosas; los calderos de Sabbath; unos clavos españoles, cuadrados, de
medio palmo de largo, semejantes en todo a los que pe-
netraron la carne de Cristo, y unas azadas, de mucho
peso, preferidas por los campesinos de aquí, idénticas en
traza y rollizo espesor de los mangos a las que blanden
los labriegos que habitan las miniaturas agrícolas o bu-
cólicas (casi siempre relativas al mes de marzo) de los Libros de Horas medievales. Iba entonces, más que hastiado, a la ventana del frente que daba sobre los escaparates
de juguetería de la gran tienda norteamericana. Pero ah,
lo inamovible, lo siempre semejante a sí mismo, por encima de los responsos, lecciones y liturgias de la iglesia,
por encima del arcaísmo de los enseres modernos de la
Ferretería-Quincalla de los Hnos. Gómez, era el Pato
Donald. Estaba ahí, en su humanidad de cartón piedra,
de patas anaranjadas, en un ángulo de la vitrina, domi-
nando un mundo de pequeños ferrocarriles en marcha,
de alacenas con frutas de cera, pistolas vaqueras y carca-
jes, andaderas con ábaco. Estaba ahí, aunque lo vendie-
ran y revendieran, quince veces al día. Como los niños
querían «ése», el de la vitrina, una mano femenina lo agarraba por sus patas anaranjadas, colocando poco después
otro Pato Donald, el mismo, en su lugar. Esa perpetua

sustitución de una forma por otra idéntica, inmóvil, alzada en el mismo pedestal, me hacía pensar en la Eternidad. A lo mejor Dios era relevado así; de tiempo en tiempo, por una potencia superior (¿Madre de Dios, madres de Dioses? ¿Algo no había dicho Goethe acerca de ellas?), custodia de su perennidad. En el minuto del cambio, cuando el Trono del Señor quedaba vacío, era cuando ocurrían las catástrofes de ferrocarril, las caídas de aviones, los naufragios de trasatlánticos, se encendían las guerras, se desataban las epidemias. Esta sola hipótesis echaba por tierra la abominable herejía de Marción, según la cual un mundo malo sólo podía haber sido creado por un Dios malo. También me hacía pensar el Pato Donald de la tienda en la sofisma de la flecha de Zenón de Elea: siempre inmóvil y semejante a sí mismo, seguía una rauda trayectoria, renovada quince, veinte veces al día, que lo conducía a todos los extremos y suburbios de la ciudad. Esto era también, para mí, un elemento de intemporalidad, junto al trenecito eléctrico que, día y noche, proseguía su inacabable viaje sobre tres metros de rieles, sin dejar de encender una diminuta luz roja a cada vuelta. «¿Hoy es viernes?», pregunto a la Señora Embajadora. «Lunes, hijo, lunes.» Por lo demás, no leía los periódicos. Conozco demasiado al General Mabillán y a los castrenses que lo acompañan. Me lo imagino preguntando ya a su ayudante: «¿Cómo era eso de las mujeres europeas, elegantes, refinadas y con conversación?» «Ya lo tengo averiguado, mi general: quien tiene sus señas es una cabronaza llamada Hipólita, que vive cerca del Parque Tadeo.» «Tenemos que conseguirnos una casa en las afueras, teniente.» «A la orden, mi general.» Volví a la ventana para ver el Pato Donald dieciocho, pronto sustituido por el número diecinueve del día.

IV

UN LUNES
QUE PUEDE SER VIERNES

El Señor Embajador estaba molesto, inquieto, descon-
certado por la Querella de Fronteras que, cada día, se alejaba más de una solución posible, y más ahora que el General Mabillán, con el ánimo de distraer la opinión pública de las sangrientas peripecias de su cuartelada —todavía sonaban disparos en la noche—, hacía todo cuanto
le fuera posible por galvanizar la nación en torno al pa-
triótico empeño de una guerra inminente. Todo aquello
de: «Sois hijos de los héroes que...», «Sean nuestros con-
fines un glorioso campo de batalla», «Honor a quienes
honores merecerán», «No hay muerte más bella que la
que...», etcétera, etcétera, etcétera, era repetido por la radio y TV a todas horas. Para acabar de impresionar a la
población capitalina, donde aún tenía muchos adversa-
rios, el General Mabillán anunció que el Día Tal —no sabía el Asilado si se estaba a 2, 11 ó 28 de aquel mes—,
habría un gran simulacro de defensa antiaérea en la ciudad. Todos los habitantes fueron provistos de un pequeño catecismo en el cual se les instruía en lo que debían
hacer para no ser afectados por la caída de proyectiles
«en su caída natural». «*¿Es un periódico abierto sobre la
cabeza protección suficiente?*» «*No.*» «*¿Es un paraguas
abierto protección suficiente?*» «*No.*» «*¿Es la carrocería de
un automóvil protección suficiente?*» «*Sí, aunque se acon-
seja bajar los cristales laterales, colocándose las personas
lo más al centro del vehículo. Al comenzarse el bombar-
deo antiaéreo, además, los automóviles pararán junto a
la acera más inmediata, apagando todas las luces.*» Llegó
la gran noche. El General Mabillán, de completo unifor-
me de campaña, con el barbuquejo hundido en la papa-

da, era el escenógrafo máximo, el Gran Intendente de Espectáculos de Simulacro, dirigiéndolo todo desde una colina guarnecida de una batería antiaérea. Señales. Sirenas. Apagón total. Expectación. «Ya se oyen los aviones enemigos.» Pero por una de las tretas que se permite el Trópico, al día espléndido que había sido el Día Tal, había sucedido un brusco descenso de neblinas de todos los cerros circundantes. Los «aviones enemigos» nada vieron debajo de sí, sino unas gasas opalescentes. Y los artilleros de abajo nada vieron, sino unas nubes gris elefante. «Disparen todos», gritó el General Mabillán furioso. Y fue el pandemonium durante media hora. Los aviones pasaban y repasaban sin saber de proyectiles teóricos, siempre dirigidos adonde no estaban. Al fin regresaron a sus bases. Cuando todo terminó, volvió el General de muy mal talante al Palacio de Miramontes. «Que metan en la cárcel al meteorólogo», dijo. «En los barrios pobres hubo muchas víctimas de las *caídas naturales* de proyectiles. Imagínese: sus casas tienen techos de cartón. Diez y siete muertos y varios niños heridos», dijo quedamente el ayudante: «¿Pararemos las informaciones?» «En el acto. Y advierta a los periódicos que si se les va algo, impongo, sí, impongo la censura.»

Como la Querella de Fronteras se iba agudizando, pensé que en algo podría ayudar al Señor Embajador, de quien su guapa esposa me dijera ayer: «Es un cretino.» Sin saber a ciencia cierta lo que podría hallar, empecé por estudiar la historia del País Fronterizo. Fue descubierto por Colón en su cuarto viaje y si nada dijo de ello fue —lo sabemos ahora por los escritos póstumos de un matemático moro, entonces grumete de la nao almirante, que pertenecía a la familia de Ibrahim Al Zarkali, el del tratado sobre los astrolabios—; si nada dijo, repetimos, fue porque el día de aquel descubrimiento, Colón, hallándose enfermo de calenturas, no quiso ir a tierra de gran ter-

ciopelo, estandarte en mano, para «tomar posesión de esta
tierra en nombre de...» etcétera, etcétera. Tampoco quiso
despachar a otro, porque sabía que el estandarte se le su-
biría a la cabeza, puesto que el guardamecí brocado, movido por la brisa, le barrería el rostro con incitante sua-
vidad. Quedó el estandarte de los Reyes en su lugar, zar-
pando las naves, y así permaneció el País Fronterizo sin
constancia de su descubrimiento, en medio de una siempre remozada controversia académica entre los partida-
rios del «sí bajó» y del «no bajó», hasta que una docta
fundación creada para estimular el estudio de las lenguas
arábigas publicó el texto revelador de Al Zarkali. Descubierto el País Fronterizo, arribaron a él los de la primera
hornada de civilizadores: adelantados, encomenderos, hidalgos arruinados, truhanes de almadraba sevillana, todos grandes manejadores de dados plomados, bebedores
del rancio y del agriado, todos grandes fornicadores de
indias; arribaron luego los de la segunda hornada: ma-
gistrados, leguleyos, agentes del fisco y oidores, transfor-
mándose la colonia, por más de dos siglos, en un vasto
potrero con ganado y campos de maíz, hasta donde al-
canzara la vista, con algún remanso de hortalizas de España... Pero, vaya usted a saber por qué, aparece un día,
en ese país, un ejemplar del *Contrato social* de Rousseau,
ciudadano de Ginebra. Y luego, es el *Emilio*: los niños,
en el colegio de un instituto rousseauniano, dejan de estudiar por libros; se consagran a la carpintería, a una ob-
servación de la naturaleza que se traduce en destripamien-
tos de coleópteros y lagartijas arrojadas a las tarántulas
dentro de sus propios hoyos. Los padres enérgicos se en-
furecen; los espíritus simples preguntan que cuándo y en
qué barco llegará el Vicario Saboyano. Y luego, para remate, es la Enciclopedia Francesa. Aparece en América,
por vez primera, el personaje insólito del cura volteria-
no. Y después es la fundación de la Junta Patriótica de

Amigos del País, de ideas liberales. Y, un buen día, suena el grito de «¡Libertad o Muerte!» Y, bajo la égida de los héroes, se pasará un siglo de cuartelazos, bochinches, golpes de estado, insurrecciones, marchas sobre la capital, rivalidades personales y colectivas, caudillos bárbaros y caudillos ilustrados. Hay quien quiere calmar los ánimos, sin éxito, instituyendo el culto a Augusto Compte, erigiéndole templos, y difundiendo, en gran escala, el *Catecismo positivista*. (Poco éxito obtiene, por cierto, un culto sin santos visibles a quienes adorar, como tampoco el *Calendario positivista*, donde los días se consagran a la memoria de Columela y Kant, de los Teócratas del Tibet y de los Trovadores —tenían su fecha— y hasta del Doctor Francia, tirano del Paraguay, allí donde se tenía gran devoción por San José, San Nicolás, San Isidro Labrador, que quitaba el agua y ponía el sol, y la Virgen de Catatuche, que gustaba por trigueña, buena moza y milagrera de manga ancha.) Y así se llega, arruinando el país, despojado de su ganadería por las partidas armadas y los cuatreros, hundida su agricultura, al momento (1907) en que se plantea por vez primera la Cuestión de Límites. Pero me parece que olvidaron, los de allá, que las dos comisiones interesadas y la comisión alemana que hubo de asesorarlas en lo técnico, habían llegado a una excelente solución. Eran quinientos kilómetros de selva los que reclamaban —y reclaman ahora— mis compatriotas. En esa selva no hay un solo concesionario de tierras vírgenes que sea de este país, donde la población es muy dada a afluir hacia la capital. En cambio los hay, numerosos, de la Nación Fronteriza. Solución: se resolverá que el Río Iripare sea de uso común. La frontera, más teórica que real, quedará donde está. En cambio, los de allá ofrecerán extraordinarios privilegios en enseres agrícolas, etcétera, a los colonos de acá —ninguno— que quieran instalarse en el área disputada, considerándolos como hermanos, ya que nun-

ca se sabrá cuándo una tierra entregada a algún pionero
o civilizador vaya a quedar del lado de acá o del lado de
allá de la frontera —cuando no quede a caballo sobre ella.
Más aún: el País Fronterizo hará extraordinarias concesiones —derechos de paso, franquicia, de peajes...— a
quienes quieran adquirir tierras dentro de lo considerado
como territorios limítrofes... «¡Espléndido! ¡Pero, espléndido!», clama el Señor Embajador al conocer esta solución posible: «El General Mabillán aparecerá como un
magnífico negociador. No hay modificaciones de límites
teóricos. Y después del fracaso de las prácticas de defensa antiaérea, podrá nuestro General declarar que no habrá guerra. Devuelve los hijos a sus madres; los hombres
a sus hogares. Y el honor de mi país queda salvaguarda-
do»... «Esa solución debiste haberla hallado tú», dice la
Señora Embajadora que, esta tarde, me mira de extraña
manera.

V

VIERNES EN LUNES
O JUEVES EN MARTES PROXIMO

Hacía meses —desde el éxito de la solución propuesta
a la Querella de Fronteras— que el Asilado se había vuelto un personaje de trabajo imprescindible en la Embajada. Gracias a él se había negociado un fructuoso inter-
cambio de algodón por tabaco; gracias a él se había co-
merciado con cosas ayer inertes, confinadas, como eran
las ruanas montañesas, tejidas en Londres, que formaban
parte del traje nacional del País Fronterizo; se había traído, a las reposterías de acá, pájaros de azúcar cande, animales de melcocha, confituras en jarros de barro; en las
tiendas se veían cinturones, sombreros de fieltro velludo,

blusas de escote cuadrado, que eran de la industria aledaña. Con esto, y las iglesias de barro para guardar santos, las guitarras de fabricación aldeana, los violines de
Petache, pueblo en donde todo el mundo era *luthier,* se
iba creando a este país, exento de un folklore expresado
en tejidos u objetos, la ilusión de un folklore que era muy
del agrado de los extranjeros... Pero eso no era todo: el
Asilado, hastiado de su inactividad, en un tiempo sin
tiempo, donde era lo mismo que fuese viernes que lunes,
jueves o martes, se había echado encima todo el trabajo
de la Embajada. Así, mientras el Señor Embajador leía
sus siempre renovados tomos de Simenon, metido en la
piel del Inspector Maigret, el Asilado redactaba notas diplomáticas, cartas confidenciales, comunicaciones a la
Cancillería, informes, memorándums, etcétera... «Parece
usted el propio embajador de mi país», decía el Señor
Cónsul, que solía visitar inesperadamente la Embajada...
«para fisgonear y espiar», decía el Señor Embajador, que
detestaba la cara de caballo malvado del Señor Cónsul. Y
un día, el Asilado manifestó el deseo de adoptar la nacionalidad del País Fronterizo. «Estás loco», me dijo el Embajador. «En vuestra Constitución se lee (tomaste el
tomo, lo hojeaste, estiraste el índice sobre el artículo interesante) que todo extranjero con dos años de residen-
cia en el país puede solicitar su nacionalización. Estoy
aquí en territorio nacional de ustedes. Estoy regido por
sus leyes. Si en esta casa cometiera un delito, sólo podría
ser juzgado por los tribunales de su país.» «Pero... ¿piensas permanecer dos años en esta casa?» «Llevo varios meses ya. Y quiero recordarle que un famoso *leader* latinoamericano estuvo asilado en la embajada de un país her-
mano por espacio de siete años. Enclaustramiento más
largo que el de Jonas, lo reconozco; pero apenas menor
que el de Silvio Pellico.» «Veremos cuando cumplas los
dos años.» «Los cumplirá», dijo la Embajadora con una

convicción que me hizo pensar en los meses —¿cuántos meses?— que me faltaban por vivir en este mundo situado entre la eternidad de Dios y la eternidad del Pato Donald.

Hoy se marchó temprano el Señor Embajador, de gran levita para asistir al Desfile Militar del Día de la Patria. Desayunamos solos, la guapa embajadora y yo. Luego fuimos a la pequeña biblioteca que había dejado el embajador de antes. «No busques nada interesante», dice la Embajadora: «Ese señor estaba empeñado en demostrar que los Conquistadores de América habían hallado, en estas tierras, todos los prodigios que aparecen en los Romances de Caballería. De ahí, su biblioteca (además): *Amadís de Gaula*, un plomo; *Palmerín de Hircania*, otro plomo; *El Caballero Cifar*, dos plomos.» Tomé el tomo de *Tirante el Blanco*. «¿Y éste?» «Tres plomos.» «Acaso porque nunca entraste en el mundo del personaje llamado Placer de mi Vida, aquella que, habiendo escondido al caballero en un cofre entreabierto, le enumera y muestra las maravillas físicas de una princesa desnuda. Y le dice... (abriendo prestamente el libro en golpe de efecto):

«¡Oh, Tirante señor! ¿Dónde estás tú ahora que no eres aquí
                                                                        [cerca
para que pudieses ver y tocar la cosa que más amas en este
                                                                        [mundo?
Mira, señor Tirante, cata aquí los cabellos de la señora prin-
                                                                        [cesa;
y los beso en tu nombre, que eres el mejor de los caballeros
                                                                        [del mundo.
Cata aquí los ojos y la boca: yo los beso por ti. Cata aquí sus
cristalinas tetas, que tengo cada una en su mano; mira como
                                                                        [son
chiquitas, duras, blancas y lisas. Cata aquí su vientre y los
                                                                        [muslos

y el lugar secreto. ¡Oh, desventurada de mí! ¡Y cómo no
                                                 [soy hombre
para fenecer aquí mis postrimeros días! ¿Dónde estás tú
                                                 [ahora, caballero
invencible? ¿Por qué no vienes a mí pues tan piadosamen-
                                                 [te llamo?
Las manos de Tirante son dignas de tocar aquí donde yo
                                                 [toco, y otro no,
que éste es bocado con el cual quienquiera se querría ahogar.»

   La Señora Embajadora se reía con las ocurrencias del
libro de gracias escondidas. Se rió más con el capítulo del
Sueño de Placer de mi Vida, aquel en que la princesa decía: «Déjame, Tirante, déjame.» Y aquel día, a fuer de parecer pedante, diré que «no leímos más allá...» Y cuando,
advirtiendo que oficiales y soldados, rotas las filas, se des-
bandaban por las calles al haberse terminado la Gran Pa-
rada del Día de la Patria, los amantes entendieron que había llegado la hora de vestirse y de sentarse en el salón,
para esperar al Señor Embajador. La Embajadora tomó
una agenda: «Todo está en organizarnos: El Día de la Patria, nos da ocho horas de tranquilidad. El Día de los Héroes, seis horas, porque hay buffet después de la coloca-
ción de coronas. El Centenario de la Independencia, nueve horas y almorzaremos solos. Duelos Nacionales, seis
al año; ceremonias de cuatro horas anchas, con discursos. (Yo me he dado una fama de enferma hepática para
no acompañar a mi marido a esos actos.) Recepción de
Primero de Año, en Miramontes, cinco horas más o menos; Día del Ejército, ocho horas, pues el desfile se acompaña de un almuerzo en el club militar; añade los carnavales, con la coronación de la Reina; las fiestas diplomáticas, a las que sí voy un poco para cubrir las apariencias.
Pero de eso nos desquitaremos con las inauguraciones de
monumentos a cualquier prócer —¡y cuidado que este
país tiene próceres!—; y eso no es todo: el besamanos

del Nuncio de Su Santidad; la tarja colocada en la casa
natal de un gran educador del siglo pasado; las inauguraciones de diques, represas, puentes, etcétera, etcétera.
Esto va a ser una fiesta de cada día.» En esto llegó el Señor Embajador, sofocado, resudado, con el almidón del
cuello cubierto de ampollas, quejándose del calor, de la
incomodidad de la tribuna, situada de frente al sol. «Los
agregados militares norteamericanos pudieron reconocer,
en las unidades motorizadas, todos los rezagos de la Segunda Guerra Mundial.» Además, el polvo que levanta-
ba la infantería, con esa manía nueva de hacerlos marchar
al paso de ganso...

VI

CUALQUIER DIA

El Señor Embajador, cumpliendo con las obligaciones
impuestas a los diplomáticos que confieren el asilo a un
perseguido político (Conferencia Panamericana de 1928,
Artículo 2.º, Disposición Segunda), según las cuales «El
Agente, inmediatamente después de concebido el Asilo,
lo comunicará al Ministerio de Relaciones Exteriores del
Estado del Asilado», había hecho lo indicado desde el
principio. Por ello, los dos soldados, de bayonetas en claro, seguían montando la guardia frente a la Embajada,
para gran desasosiego de los muy escasos solicitantes cuyos asuntos escaparan a la jurisdicción del Consulado.
De ahí que el tiroteo de aquella mañana te repercutiera
en el vientre. A dos pasos de ti, en esta calle, entre la juguetería —aún tan próxima de quienes eran balaceados—
y la Iglesia de la Virgen del Páramo, la policía disparaba
sobre una manifestación de estudiantes que protestaban
contra el General Mabillán, por su intento de reforma de

la Constitución, encaminada a asegurarle una permanencia de ocho años en el poder, con posible plebiscito. Yo hubiese querido estar con los estudiantes, gritando, arrojando trozos de cabillas, tuercas, piedras, tumbando los guardias montados de sus caballos. Pero nada podía hacer, «quemado» como lo estaba y con mis dos guardias a la puerta. Por lo demás, conocía todos los pormenores de la represión que sería aplicada con saña singular al primer grupo de estudiantes capturados: lo de las cárceles repletas, y que, en ciertos casos los presos de última hora, afortunados sin saberlo, habían tenido que ser alojados en los hoteles cercanos; lo de las humillaciones, las torturas ya clásicas, practicadas por la Gestapo y la FBI americana; el tormento consistente en parar a un hombre durante doce horas sobre un viejo caucho de automóvil, etc. Pero ahora habían entrado los fenómenos en escena: los sádicos, los copuladores legalizados, los tarados de toda índole, regidos por el Gavilán, aquel que tenía tan largas y duras las uñas de los dedos índices y pulgares que podía hundirlas rápidamente, con horribles desgarramientos, en una garganta humana. Esto, sin hablar de los violadores y proxenetas, dotados ahora de carnets y credenciales para poder demostrar, en todo caso, que habían pasado a ser agentes de la Policía Política del Gobierno.

Ahora estás enamorado y te echas en cara ese amor como una falta, como un delito. Los que son ametrallados en las calles son los mismos —aunque de nueva generación— que los que contigo, no hace tanto tiempo aún, penetraban, de tu brazo, en el vasto mundo de la filosofía. Los mismos que decían, en broma: «Dos mecanismos mueven el mundo: el sexo y la plusvalía.» Los mismos que se asombraban de que algunos filósofos materialistas concedieran tanta importancia a ciertos textos presocráticos, tan exiguos y mutilados que no acababan de dibujar un pensamiento claro... Me asomo a la venta-

na: allá yacen varios heridos *de los míos,* tirados en el suelo, perdiendo su sangre, arrastrándose bajo las balas que
aún se encajan en las columnas y pilastras. Vas hacia la
Embajadora y te echas a sollozar en su regazo. «Horrible, horrible», dice ella. «Estos policías de tu país son
unos bárbaros.» «Y más ahora que tiene instructores norteamericanos.» Sollozas. Te hace bien. Luego, para cal-
marte más, la Embajadora te recuesta a su lado. Cierras
los ojos sobre su carne y es noche. ¿De qué día? No lo
sabes. ¿La fecha? La ignoras. ¿El mes? No te importa.
¿El año? El único año visible aquí es el de la Ferretería-
Quincalla: «Fundada en 1912.» «Tal vez pueda ser un
punto de referencia», dices, amargo. Y ahora, el amor,
una vez más; el amor que no tiene fecha. Como decía
una cantante francesa: «Podría ocurrir el fin del mundo
y no nos daríamos cuenta.» El amor, en este encierro, en
este aislamiento, en este tiempo sin tiempo, me da una
sensación parecida a la del hombre que hubiese fumado
opio en una casa desconocida y que, al despertar, se com-
portara como Elpenor, lanzándose al vacío por no saber
dónde estaba. Sin embargo, tú amas a la Embajadora
—Cecilia se llama. Sus brazos blancos, hondos, te son ne-
cesarios. Hallas en ella, dentro de tu infortunio, la ternu-
ra de la madre, la solicitud del aya, el calor de la amante.
Junto a Cecilia estás trazando el plan de vastas acciones
destinadas a eliminar al Señor Embajador. El arsénico,
acaso. Pero... ¿cómo obtenerlo, sin llamar la atención?
¿El cianuro de potasio? Fácil de usar, con un juego apa-
sionante añadido a la «eliminación física» del personaje;
el veneno se mezclaría con alguna de las pastillas que el
Señor Embajador tomaba todas las noches para la diges-
tión. Se revolverían las pastillas como los dados en un cu-
bilete. Y no habría más que esperar. Hoy no ha sido. Será
mañana: sólo quedan tres pastillas. Y cuando sólo que-
daran dos, ya dispondríamos todo lo del entierro. Las

bandas y condecoraciones que habría de llevar el muerto
consigo. ¿Y cuando sólo quedara una? Noche de indecible emoción. Pero... ¿quién iba por el cianuro? ¿Vende-
rían eso en botica? Lo ideal hubiese sido el curare, que
no deja huellas en el organismo. Una hincada con una
buena aguja enherbolada y el personaje se caía de repente, sin poder respirar, con los músculos de los pulmones
paralizados. Pero para conseguir el curare, que se con-
servaba en pequeñas calabazas, era necesario llegar al territorio de los indios Guachinapas, y era cosa de un mes,
por lo bajo, pasando de lanchas a canoas. Lloras con ella
sobre la común desgracia de sentirse tan inermes. ¡Qué
felices hubiésemos sido a la orilla de un féretro...! Te acer-
cas a la ventana. Ha terminado el tiroteo. Se han llevado
a los heridos —o muertos, tal vez. El cristal de la vitrina
de la juguetería está resquebrajado por un balazo que de-
rribó de su zócalo al Pato Donald, con un pequeño agu-
jero negro en el cartón del pecho. Como era el Día de
los Héroes, nadie había en la tienda que pudiese reponer
la figura. Seguía, despatarrada, con las palmas anaranjadas en alto.

VII

HACIA UN MARTES

Cuando se llegó a la estación de las lluvias, las relaciones diplomáticas de este país con el Fronterizo, empeo-
raron. La Querella de Límites volvió a encenderse y, con
ella, los ánimos. Pero ahora el General Mabillán movili-
zó todos sus cuerpos y oficinas de propaganda y censura
para aminorar los arrestos bélicos. Necesitando de un
ejército represivo interno para disolver manifestaciones y
desfiles, atajar las huelgas, hacer observar los toques de

queda, allanar casas y empresas, patrullar las calles, etcétera, etcétera, no creía que fuese oportuno, en verdad,
mandar varias divisiones a la frontera selvática, dejando
en descubierto el frente interno. Por lo mismo, su arrogancia de antaño ante el País Fronterizo se había transformado en una política de tolerancia y cooperación.
«Nada de problemas internacionales», decía. Y más ahora que los Estados Unidos habían adquirido grandes concesiones mineras en el territorio litigioso. Tan confusa era
la situación que el Señor Embajador fue llamado por su
Cancillería para que informara personalmente. Sería un
viaje de quince días, a lo más. La Señora Embajadora le
hizo sus maletas con extraordinario amor y, al día siguiente, fue a despedirlo al aeropuerto, observando, con
satisfacción, que el avión era de modelo antiguo, con todas las trazas de caerse: era el mismo que los operarios
del mantenimiento designaban con el nombre de «el ataúd
volante».

Al día siguiente, el Cónsul vino a visitarme. «Ya es usted mi compatriota», dijo, abrazándome, y dándome los
papeles de mi nueva nacionalidad. De ahora en adelante,
mi escudo sería —lo veo reproducido en todos los documentos entregados— el de los dos tigres vigilantes, adormecidos sobre los catetos de un triángulo dorado, de origen evidentemente masónico, si pensamos que el Prócer
Máximo de mi nuevo país había sido, en Europa, Príncipe Kadosh de la Logia de los Caballeros Racionales.
«Pero esto no es todo», comenzó a decir el Cónsul con
un tono que, por la impostación de la voz, por el ritmo
de la palabra, difería mucho de lo anterior. Hablaba lentamente: «Durante estos años he informado a mi Cancillería acerca de *sus* trabajos. Querella de Fronteras, intensificación del comercio, intercambios fructuosos de productos, etcétera, etcétera. Están enterados de todo lo que
usted hizo por nuestro país, que no era el suyo todavía.

Este imbécil (señaló el sillón del Embajador) nunca sirvió para nada. Y lo saben. Por ello (engolando la voz) va usted a ser nombrado embajador de mi país, en su lugar.» Ante mis protestas, el Señor Cónsul me hizo saber que en su país —«nuestro país»— los cargos de embajadores no se daban, por lo general, a diplomáticos de carrera, sino a hombres brillantes o capaces: escritores, financieros, figuras mundanas, periodistas. Además, la utilización diplomática y docente de figuras pertenecientes a otras naciones continentales era tradicional en América. Podían ser extranjeros: hubo ministros cubanos en Centroamérica: el venezolano Andrés Bello fue Rector de la Universidad de Chile. Recuerdo a... Corté la enumeración prevista: «Pero... nunca me darán el *placet*.» «Con las ganas que tiene Mabillán de quedar bien con nuestro país, ahora que quiere sacarle 150.000.000 de dólares a la Alianza para el Progreso, le daría el *placet* a Jack el Destripador.» (Risa.) «¿Pero, el Embajador, la Embajadora...?» «El Embajador ha sido llamado, a la verdad, para trasladarlo a Gotemburgo, como mero agente consular. En cuanto a la Embajadora, *si ella no se opone a ello*, podrá quedar aquí, en calidad de Secretaria de la Embajada.»

El *placet* fue otorgado sin demora. Y el martes siguiente salió el Asilado para presentar sus credenciales al General Mabillán. Los guardias de la puerta, en su último día de posta, le presentaron armas. La levita del Señor Embajador le quedaba bastante bien. A la chistera, había sido necesario rellenarle la badana con papel de periódico. Los guantes de color mantequilla, tenían que ser llevados en la mano izquierda, como un manojo de espárragos, por demasiado estrechos. Pero todo era magnífico hoy: el automóvil de la Cancillería, la conversación insulsa del Introductor de Embajadores. Hoy era martes. ¡Martes, martes, martes! Martes, 28 de junio. ¡28 de ju-

nio! Un mes cuyo nombre sonaba a playas, a grandes es-
pacios... Acompañado del Introductor de Embajadores,
llegó el ex asilado al Palacio de Miramontes. No contestó a la mirada implorante, compungida, del Sargento Ratón, que buscaba la suya. Se le rindieron los honores militares y penetró en el despacho del General Mabillán.
Fue recibido muy cordialmente, y el General hizo la amable comedia de leer sus cartas credenciales que, para todos los casos y países, estaban redactadas de manera casi
idéntica. Luego, pronunció un pequeño discurso en el
cual habló de la amistad secular entre los dos pueblos, de
lo bien que iban a entenderse ahora, de estos umbrales
de una era de prosperidad para ambos; de las mutuas glo-
rias pasadas; de lo hermanos que eran ambos países y de
lo más hermanos aún que iban a ser en adelante, y de
otras cosas así. El nuevo Embajador respondió en los mismos términos de «prosperidad», «amistad», «entendimiento», «hermanos», «nuestra América», el «continente
del porvenir», «la tercera solución aportada a los conflic-
tos ideológicos de la época por los avisados gobiernos del
Nuevo Mundo», y todo lo que se oye en semejantes
oportunidades. Dos copas de champaña, brindándose por
la prosperidad de ambos pueblos. Y un estrechón de manos, durante el cual el General cuchicheó al nuevo Embajador: «No llamé a los fotógrafos. Hubiese sido difícil.
Mandaré una nota de prensa en la que creerán ver un ho-
mónimo.» «Lo considero, mi general.» Y el General, bajando la voz todavía más: «Eres un cabroncito, Ricardo.»
«¿Y qué tal las mujeres europeas, elegantes, refinadas y
con conversación, mi general?» «¡Vete al carajo!»... El Introductor de Embajadores se acercó para significar que
la visita diplomática había terminado. El nuevo Embajador retrocedió hacia la puerta, de espaldas a ella, haciendo una reverencia a cada paso. Cuando estuvo fuera, en-
treabrió la cortina, metió la cabeza, y dijo: «Chao, Felipe.»

La Señora Embajadora me esperaba con un fino almuerzo de regocijos y vinos. No faltaban los pepinos ru-
sos, en salmuera, que tanto me gustan, ni el mango-chut-
ney que con algo se armonizaría, ni las alcaparras france-
sas que tan bien acompañan la cachaza brasileña. El Pato
Donald herido, había sido sustituido por otro, intacto.
Pero su figura no se asociaba tanto ahora, para mí, a la
idea de eternidad. Como los bombillos Edison de la Ferretería-Quincalla de los Hnos. Gómez tampoco evocaban
tanto a Menlo-Park como ayer. Limpié el calendario de
hojas muertas, poniéndolo en el martes 28 de junio. Empezaban tiempos mejores. Y cuando, ya amoscado por
unas cachazas tomadas de prisa, se nos metió en el comedor el latín de

> Dum esset Rex in accubitu suo,
> nardus mea dedit odorem suavitatis,

lo apagamos con la trompeta de Amstrong hallada en la
radio. Al día siguiente, me costó trabajo pensar que se vivía en miércoles, y que miércoles tenía sus obligaciones.
Pero desde el jueves volvieron los días, con sus nombres,
a encajarse dentro del tiempo dado al hombre. Y empezaron los trabajos y los días.

Indice

GUERRA DEL TIEMPO

OTROS RELATOS

Franklin Pierce College Library

00044557